하나님의 편지 5

LETTERS TO GOD'S PEOPLE

가스펠 프로젝트

The Gospel Project for Kids

가스펠 프로젝트

신약 **5**

하나님의 편지

저학년 교사용

지은이 · LifeWay Kids
옮긴이 · 권혜신
감수 · 김병훈, 류호성, 김정효

초판 발행 · 2019. 4. 8
등록번호 · 제1988-000080호
등록된 곳 · 서울특별시 용산구 서빙고로65길 38
발행처 · 사단법인 두란노서원
영업부 · 02) 2078-3352, 3452, 3752, 3781 FAX 080-749-3705
편집부 · 02) 2078-3437
활동연구 · 김찬숙, 임요한, 지민정, 최은정, 한승우, 홍선아

책값은 뒤표지에 있습니다.
ISBN 978-89-531-3401-0 04230 / 978-89-531-3128-6 (세트)

홈페이지 · gospelproject.co.kr / **두란노몰** · mall.duranno.com

두란노서원은 바울 사도가 3차 전도 여행 때 에베소에서 성령 받은 제자들을 따로 세워 하나님의 말씀으로 양육하던 장소입니다.
사도행전 19장 8-20절의 정신에 따라 첫째 목회자를 돕는 사역과 평신도를 훈련시키는 사역,
둘째 세계선교TM와 문서선교단행본 · 잡지 사역, 셋째 예수문화 및 경배와 찬양 사역, 그리고 가정 · 상담 사역 등을 감당하고 있습니다.
1980년 12월 22일에 창립된 두란노서원은 주님 오실 때까지 이 사역들을 계속할 것입니다.

차례

이렇게 활용해 보세요!

① 단원 개요 · 각 과의 목표

- '가스펠 프로젝트'(하나님의 구원 계획)의 연대기적 큰 흐름 속에서 각 단원과 각 과의 주제를 살펴봅니다.

DVD **카운트다운** 단원별로 제공되는 3분 카운트다운 영상(지도자용 팩)으로, 장소를 옮기거나 시간을 구분 짓는 방법으로 활용할 수 있습니다.

DVD **무대 배경** 단원별 설교의 도입(들어가기)에서 공통적으로 활용할 수 있는 무대 데코 아이디어로, 배경 이미지(지도자용 팩)를 화면에 띄워 사용할 수 있습니다.

단원 암송 단원의 핵심 메시지가 담긴 성경 구절입니다.

성경의 초점 본문과 관련된 성경의 중심 주제(핵심 교리)를 문답 형식으로 정리한 문장입니다. 단원별 성경의 초점을 익히며 성경의 흐름을 이해하게 합니다.

주제 각 과의 핵심 줄거리를 파악할 수 있습니다.

가스펠 링크 성경 이야기에 담긴 복음을 발견하게 합니다. 모든 성경 이야기는 그리스도와 연결됩니다.

본문 속으로 각 과를 준비하며 묵상할 내용과 티칭 포인트를 제시합니다. 청장년용 《가스펠 프로젝트》로 교사 소그룹 모임에서 더 깊은 묵상을 나누며 성경 읽기를 병행할 것을 권유합니다. 부모 소그룹 모임은 교회와 가정을 연계해 교육 효과를 더욱 높여 줄 것입니다.

교사 지도 가이드 영상 교사들이 각 과의 내용과 아이들에게 전달해야 할 핵심을 쉽게 파악할 수 있도록 짧은 예시와 함께 개요를 소개하고 교사를 독려합니다. 홈페이지(gospelproject.co.kr)에서 무료로 활용할 수 있습니다.

말씀 묵상 ②

- 말씀을 묵상하며 어떻게 가르칠 것인가를 기도로 준비합니다.

DVD **이야기 성경** '가스펠 설교'에서 사용하는 구어체 설교입니다. 같은 내용의 영상이 지도자용 팩에 있습니다.

교사를 위한 기록장 말씀을 가르치기 전 교사가 발견한 메시지를 기록하며 말씀을 내면화하도록 돕습니다.

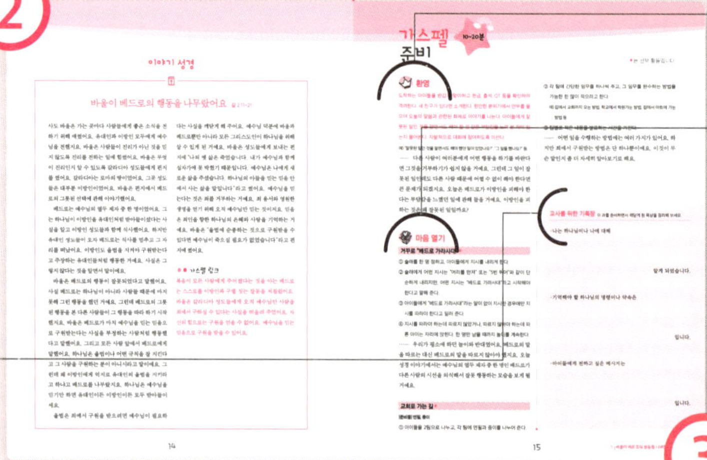

환영 아이들을 맞이하며 나눌 수 있는 대화의 소재를 제안합니다.

마음 열기 이 과의 주제와 연결된 간단한 활동을 소개합니다.

③ 가스펠 준비

- 사전 활동을 살펴봅니다.

④ 가스펠 설교

● **도입 - 전개 - 가스펠 링크 - 복음 초청 - 적용**에 이르는 설교 가이드입니다.

들어가기 도입 아이디어를 소개합니다.

복음 초청 복음을 전하고 영접 기도로 이끌 수 있는 초청 대화를 담았습니다. 지도자용 팩과 가스펠 프로젝트 홈페이지에 있는 영상을 활용할 수 있습니다.

적용 에피소드를 담은 영상과 질문이 담겨 있습니다. 설교 도입이나 적용 부분에서 활용하거나 영상을 본 뒤 소그룹에서 풍성한 대화를 이어 가는 방법도 추천합니다.

찬양 단원 주제를 담은 찬양, 악보, 율동을 지도자용 팩과 가스펠 프로젝트 홈페이지에서 만날 수 있습니다.

연대표 '가스펠 프로젝트'(하나님의 구원 계획)의 큰 흐름 속에서 각 과의 위치를 파악해 봅니다.

가스펠 소그룹 ⑤

● 예배 후 소그룹 모임에서 배운 내용을 되새길 수 있는 다양한 활동을 소개합니다.

보물 상자 성경의 메시지와 내 삶을 연결해 보고, 하나님과 일대일 대화를 나누듯 마음을 고백하는 마무리 활동입니다.

나침반 재미있는 활동으로 단원 암송을 익히게 합니다. 부록의 단원 암송 자료와 지도자용 팩의 파일을 활용할 수 있습니다.

보물 지도 퀴즈와 게임을 통해 성경 이야기를 복습하는 활동입니다.

탐험하기 성경 이야기의 의미를 묵상하며 주제, 가스펠 링크, 성경의 초점 등을 되새기는 확장 활동입니다.

메시지 카드 각 과의 핵심 내용과 가족과 함께하는 활동을 담았습니다.

＊지도자용 팩의 PC 전용 DVD-Rom에 영상, 그림, 음원, 악보, PPT 등의 자료가 있습니다.

● 교과서에 자주 등장하는 국가와 도시명은 교과서 표기법으로, 그 외의 명칭은 개역개정의 표기를 따랐습니다.

발간사

두란노서원을 통해 라이프웨이(LifeWay)의《가스펠 프로젝트》성경 공부 교재 시리즈를 발간할 수 있도록 인도하신 하나님께 감사드립니다. 험한 소리로 가득한 세상에 이 책을 다릿돌처럼 놓습니다. 우리 삶은 말씀을 만난 소리로 풍성해져야 합니다. 주님을 만난 기쁨의 소리, 진실 앞에서 탄식하는 소리, 죄를 씻는 울음소리, 소망을 품은 기도 소리로 가득해야 합니다.

《가스펠 프로젝트》는 신구약을 관통하는 예수 그리스도의 복음을 발견하고, 그 가르침을 삶에 적용하는 지혜를 얻도록 기획한 성경 공부 교재입니다. 어린아이부터 어른에 이르기까지 생애 주기에 따른 복음 메시지를 잘 배울 수 있습니다. 또한, 거짓 진리가 미혹하는 이 시대에 건강한 신학과 바른 교리로 말씀을 조명하여 성도의 신앙이 좌로나 우로나 치우치지 않도록 돕습니다.

두란노서원은 지금까지 "오직 성경, 복음 중심, 초교파적 관점"을 바탕으로 한국 교회와 성도를 꾸준히 섬겨 왔습니다. 오직 성경의 정신에 입각해 책과 잡지를 출판해 왔으며, 성경에 근거한 복음 중심의 신학을 포기한 적이 없습니다. 그리고 교단과 교파를 초월하여 교회와 성도가 하나님 나라를 바라볼 수 있도록 돕기 위해 노력해 왔습니다.《가스펠 프로젝트》는 두란노가 지켜 온 세 가지 가치를 충실하게 담은 책입니다.

성경은 구원을 위한 책이며, 구원사의 주인공은 예수 그리스도입니다. 창세기부터 요한계시록까지 오직 예수 그리스도의 복음만을 전하는《가스펠 프로젝트》성경 공부 교재를 통해 복음의 은혜와 진리를 깊이 경험하고, 복음 중심의 삶이 마음 판에 새겨지기를 바랍니다. 그리고 예수 그리스도 복음에 굳게 선 한 사람의 영향력이 가정과 교회와 사회에 흘러감으로써 거룩한 하나님 나라가 확산되어 가기를 소망합니다.

두란노서원 원장 이 형 기

감수사

《가스펠 프로젝트》는 무엇보다도 전통적으로 교회가 풀어 온 흐름을 충실히 따라 성경을 해설하고 있습니다. 그리고 그 방향은 궁극적으로 예수 그리스도를 향해 나아가고 있습니다. 이것은 예수님이 구약과 신약의 모든 성경이 자신을 가리키고 있다고 하신 말씀에 비추어 매우 타당한 것입니다. 게다가 그리스도 중심적 해설을 무리하게 전개하지 않습니다. 각 본문에서 하나님의 구원 언약과 그것을 실현하시는 하나님을 드러내면서, 그리스도의 예표적 설명이 가능한 사건을 놓치지 않고 풀어내고 있습니다.

성경 공부 교재는 명시적으로 혹은 암시적으로 제시하는 교리적 진술이 교리 체계상 건전해야 합니다. 《가스펠 프로젝트》는 99개 조에 이르는 핵심 교리들을 일목요연하게 제시하여 교리의 건전성을 확인할 수 있도록 도움을 줍니다. 《가스펠 프로젝트》의 교리는 교파를 막론하고, 예수 그리스도의 복음에 충실한 복음주의 교회들에게 환영받을 만합니다. 물론 교파마다 약간의 이견을 갖는 부분들이 있을 수 있겠지만, 각 교회에서 교재를 활용하는 데에 무리가 없을 것입니다. 《가스펠 프로젝트》의 특징은 각 과에서 학습한 내용을 핵심 교리와 연결해 주며, 그 결과 그리스도의 복음에 관련한 교리적 이해를 강화시킨다는 데에 있습니다.

끝으로 《가스펠 프로젝트》는 어떤 성경 주해서나 교리 학습서가 갖지 못하는 훌륭한 장점을 가지고 있습니다. 그것은 학습자를 하나님과 그리스도의 복음 앞으로 이끌며, 자신의 신앙과 삶을 돌아보도록 하는 적용의 적실성과 훈련의 효과입니다. 아울러 본문과 관련한 교회사적으로 또 주석적으로 중요한 신학자와 목사의 어록을 제시하고, 심화 토론을 위한 질문을 달아 주고, 선교적 안목을 열어 주는 적용 질문들을 더해 준 것은 《가스펠 프로젝트》에서 얻을 수 있는 커다란 유익입니다.

추천할 만한 마땅한 성경 공부 교재를 찾기가 쉽지 않은 현실에서 《가스펠 프로젝트》는 성경을 개괄적으로 매주 한 과씩 3년의 기간 동안 일목요연하게, 그리고 그리스도 중심적으로 공부하도록 이끌어 준다는 점에서, 한국 교회의 기초를 성경 위에 놓는 일에 커다란 공헌을 할 것으로 믿어 의심치 않습니다.

김병훈 _ 합동신학대학원대학교 조직신학 교수

하나님의 말씀이 임하는 곳에는 회복의 역사가 있어서 죽은 뼈들도 힘줄이 생기고 살이 오릅니다(겔 37:8). 왜냐하면 하나님의 말씀은 그 자체에 능력이 있기 때문입니다(눅 1:37). 그분의 말씀은 살아 있고 활력이 있기에 예리하게 혼과 영과 및 관절과 골수를 찔러 쪼개기까지 하며 또 마음의 생각과 뜻을 판단할 것입니다(히 4:12). 하나님의 말씀이 왕성하게 흘러넘쳐 온 세상과 우주를 적실 때에 정의와 사랑(렘 9:24) 그리고 제자의 수가 많아지는 놀라운 부흥을(행 6:7) 경험할 것이고, 악한 세력이 모두 물러가며 새 하늘과 새 땅이 다가올 것입니다.

이를 위해 작은 등불의 역할을 할 《가스펠 프로젝트》는 다음과 같은 특징이 있습니다. 첫째는 성경 전체를 '그리스도 중심'으로 바라본 것입니다. 오실 그리스도(구약)와 오신 그리스도 그리고 앞으로 다시 오실 그리스도(신약)의 관점에서 구약성경과 신약성경을 서로 연결시켜서, 그 속에 담긴 놀라운 하나님의 구원 역사를 보게 합니다. 둘째는 같은 본문으로 교회와 가정 그리고 전 연령층에서 그리스도의 사랑을 배우게 합니다. 이는 특히 가정에서 소통할 기회를 제공하고 사랑과 정의를 실천하는 성숙한 그리스도인으로 성장하도록 이끌어 줍니다. 셋째는 신학적 주제와 기초 교리를 이해하기 쉽게 설명하며 영적 분별력을 향상시키는 데 도움을 줍니다. 넷째는 배운 것을 복음의 씨앗을 뿌리는 선교와 연결시키며 하나님이 주신 사명을 실천하도록 이끄는 것입니다. 이는 복음의 열정을 회복시켜 줍니다.

이러한 특징이 있는《가스펠 프로젝트》는 모든 교단과 교파를 초월해서, 하나님의 섬세한 구원의 손길과 그리스도의 숭고한 십자가의 사랑 그리고 거룩함으로 인도하는 성령님의 이끄심을 배울 수 있는 아주 좋은 성경 공부 교재입니다. 우리는 이를 통해 하나님의 말씀이 이 땅에 흘러넘치며, 복음의 열정을 품고 전 세계로 향하는 많은 전도자들을 세워 갈 수 있을 것입니다

류호성 _ 서울장신대학교 신약학 교수

일반적으로 교육 프로그램의 적절성은 철학적, 사회학적, 심리학적 측면에서 평가됩니다. 이 기준을 주일 학교에 적용해 본다면 신학적으로 맞는지, 교회(사회)의 필요를 잘 충족하는지 그리고 활동에는 학습자의 발달적 특성이 잘 고려되었는지를 살피며 평가가 이루어져야 할 것입니다. 이러한 측면에서 볼 때,《가스펠 프로젝트》저·고학년 신약 시리즈는 다음과 같은 특징이 있습니다.

첫째, 신학적인 측면에서 신약 학습을 성자 하나님이신 예수님께 초점을 맞추고 있다는 점 그리고 예수님이 구약 인물의 계보를 따라 오신 역사적 인물이며 약속된 메시아이심을 강조한다는 점 등이 적절하다고 볼 수 있습니다.

둘째, 교회(사회)의 필요 충족이라는 측면에서 볼 때도, 주일 학교를 담당하는 교육자들의 필요를 꼼꼼히 매우 잘 반영하고 있습니다. 어쩌면《가스펠 프로젝트》는 처음 개발할 때부터 학생보다는 교육자의 필요를 먼저 살핀 교사 친화적 교재라고 할 수 있습니다. 대부분의 세속 학교 프로그램은 학생 교재가 먼저 제작되고 교재를 어떻게 사용해야 하는지에 대한 설명을 하는 용도로 교사용 지도서가 만들어집니다. 그러나《가스펠 프로젝트》를 살펴보면 교회 교육자의 입장에서 설교, 소그룹 활동, 복음에의 초청, 가정과의 연계 활동 등 일련의 활동을 먼저 계획하고 이를 실행할 때 필요한 학생용 교재를 부차적으로 구성했다는 인상이 들 정도로 이를 선택한 교육자들의 필요를 두루 살피며 안정적으로 지원하고 있습니다.

셋째, 교육 심리학적인 측면에서《가스펠 프로젝트》는 초등학교 아동이 가지는 발달 연령기의 특성을 잘 반영하고 있습니다. 이 시기 아동에게는 오감을 사용하는 구체적인 활동이 매우 중요한데《가스펠 프로젝트》는 매우 입체적으로 인지적, 감성적, 행동적인 측면을 총동원할 수 있도록 구성되어 있습니다. 특히 성경의 내용을 지식적으로 이해하는 데에서 머무르지 않고, 아동들의 생활 반경의 경험과 연결하여 의미를 이해하도록 하고, 마지막에는 가정과의 연계 활동을 제안하여 학습의 구체화와 지속성을 더하고 있다는 점이 특징입니다.

마지막으로《가스펠 프로젝트》의 도움으로 교회에서 다음 세대에게 말씀을 전하는 교육자들의 수고가 더욱 많은 열매를 맺을 수 있기를 기대합니다.

김정효 _ 이화여자대학교 초등교육과 교수

추천사

우리를 향한 하나님의 멈추지 않는 사랑, 아들을 내어 주신 아버지 하나님의 놀라운 구원 계획에 눈뜨게 하는 교재입니다. 성경을 꿰뚫는 변함없는 메시지, 예수 그리스도를 만날 수 있는 교재입니다. 유익한 활동과 흥미로운 반복 학습을 통해 기독교 핵심 주제를 접하고, 말씀을 가까이하며, 가족과 묵상을 나누도록 이끄는 방식에 기대가 큽니다. 다양한 소재의 영상과 그림 자료는 시청각 자료가 부족한 교육 현장에 큰 활력을 불어넣어 줄 것입니다. 무미건조한 습관적 예배, 아이들과 소통하지 못해 안타까워했던 부모와 교사, 다음 세대를 걱정하는 교회 지도자들에게 이 교재를 추천합니다.

김요셉 _ 중앙기독학교 교목, 원천침례교회 목사

《가스펠 프로젝트》는 하나님의 말씀으로 우리를 초청해 예수 그리스도를 만나게 하고 사랑하게 만드는 교재입니다. 자녀들이 교회 학교에서, 부모들이 소그룹에서 말씀을 공부한 후 저녁 식탁에 둘러 앉아 예수님에 대해 함께 나눈다는 것은, 상상만 해도 너무나 멋지고 복된 일입니다.

김지철 _ 전 소망교회 담임 목사

우리 시대의 전 세계적 교회 부흥은 두 가지 샘을 갖고 있습니다. 한 샘은 오순절 부흥 운동의 샘입니다. 이 샘으로 많은 시대의 목마른 영혼들이 목마름을 해갈했습니다. 또 하나의 샘은 성경 연구의 샘입니다. 《가스펠 프로젝트》는 쉬우면서도 결코 피상적이지 않습니다. 믿음의 단계를 따라 하나님의 자녀들에게 꼭 필요한 복음의 진수를 맛보게 해 줄 것입니다. 이 교재로 이 땅에 새로운 영적 르네상스가 일어나기를 기대합니다.

이동원 _ 지구촌교회 원로 목사

성경을 공부한다는 것은 성경에 기록된 사실을 배우는 것이 아니라 성경이 가르치는 교리를 배우는 것입니다. 왜냐하면 성경은 독자에게 어떤 새로운 정보를 주기 위해 인간이 쓴 책이 아니라 죄인인 인간에게 구원을 주기 위해 하나님이 쓰신 말씀이기 때문입니다. 이번에 출간된 《가스펠 프로젝트》는 이와 같은 역할을 탁월하게 수행하고 있기 때문에 기쁜 마음으로 추천합니다.

이성호 _ 고려신학대학원 역사신학 교수

《가스펠 프로젝트》는 성경이 어떻게 그리스도와 연결되어 있는지, 또 성도의 삶이 하나님의 구원 계획에 어떻게 연결되어야 하는지를 구체적으로 제시합니다. 또한 전 세대를 연결하고, 가정과 교회를 하나 되게 합니다. 신앙의 전수가 중요한 시대에 성도와 교회와 가정이 한마음으로 다음 세대를 준비시키기에 적합합니다.

이재훈 _ 온누리교회 담임 목사

《가스펠 프로젝트》는 이 시대를 살아가는 모든 그리스도인에게 꼭 필요한 성경의 핵심 내용을 쉽고 흥미롭게 펼쳐 내면서 성경을 알아 가는 기쁨을 주고 구체적인 적용을 돕는 교재입니다. 가장 뛰어난 점은, 성경의 중심이 되시는 예수님을 충실하게 드러낸다는 점입니다. 《가스펠 프로젝트》를 성실하게 따라가면 예수님을 통해 완성하시는 하나님의 구원 역사 프로젝트가 드러날 것입니다. 이 시리즈를 통해 체계적인 '가정 제자 훈련'과 '성경 공부'를 정착시키는 가운데 한국 교회와 이민 교회에 거룩한 부흥의 불길이 일어나길 기대합니다.

류응렬 _ 와싱톤중앙장로교회 담임 목사, 고든콘웰신학대학원 객원 교수

1 단원 인도하시는 하나님

급속하게 성장하던 초대교회에 다툼과 문제가 생겼습니다. 교회 지도자들은 예수님이 그들의 궁극적인 지도자이시며, 성도들은 복음을 온 세상에 전해야 할 임무를 부여받았다는 사실을 모두에게 상기시키는 것으로 문제를 처리했습니다.

바울이 베드로의
행동을 나무랐어요

교회가
나뉘었어요

교회 안에
차별이 생겼어요

서로
사랑하라

교회 지도자들에게
권면했어요

카운트다운 – 알람이 울리기 전에

카운트다운 영상(지도자용 팩)을 틀고 예배 준비 자세를 취하도록 격려한다. 예배가 시작되는 시간에 영상이 끝나도록 맞추어 놓는다. 영상이 끝나기 30초 전에 예배 인도자는 정해진 위치에 서서 조용히 기도하는 모범을 보인다.

무대 배경 – 등산로

등산로의 베이스캠프처럼 꾸민다. 작은 텐트를 설치하고 삽, 사다리, 랜턴, 침낭 등 소도구를 배치해 놓는다. 화면에 '등산로' 배경 이미지(지도자용 팩)를 띄운다.

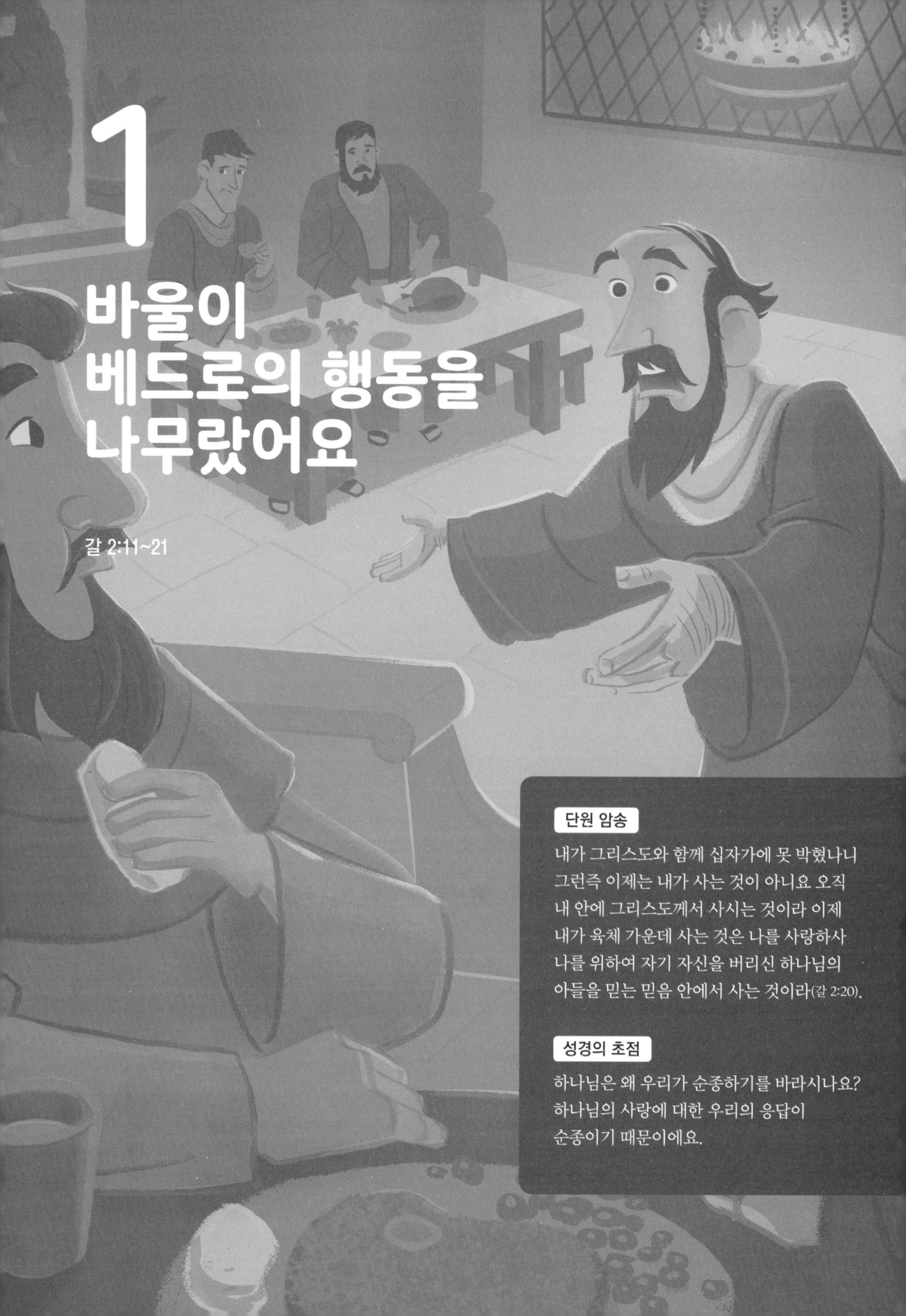

1

바울이 베드로의 행동을 나무랐어요

갈 2:11~21

단원 암송

내가 그리스도와 함께 십자가에 못 박혔나니
그런즉 이제는 내가 사는 것이 아니요 오직
내 안에 그리스도께서 사시는 것이라 이제
내가 육체 가운데 사는 것은 나를 사랑하사
나를 위하여 자기 자신을 버리신 하나님의
아들을 믿는 믿음 안에서 사는 것이라(갈 2:20).

성경의 초점

하나님은 왜 우리가 순종하기를 바라시나요?
하나님의 사랑에 대한 우리의 응답이
순종이기 때문이에요.

본문 속으로

예수님의 열두 제자 중 한 명인 베드로는 유대 문화 속에서 성장했습니다. 유대인은 하나님이 이방인에게 관심이 없으시다고 여겼습니다. 유대인 대부분은 이방인을 업신여겼고 그들과 어울리지 않았습니다. 유대인은 이방인이 부정하다고 생각했습니다. 그들이 하나님을 기쁘시게 하는 옳은 방식으로 살지 않는다고 여겼습니다. 유대인이 이방인과 어울린다면, 그는 자기 민족에게 조롱받을 위험을 감수해야만 했습니다.

예수님의 부활과 승천 이후 하나님은 자신이 유대인뿐만 아니라 이방인도 사랑하신다는 사실을 베드로에게 알려 주셨습니다(행 10:9~16 참조). 베드로는 하나님의 말씀을 마음에 새기고 이방인 성도들과 어울리며 식사도 함께했습니다. 적어도 유대인 성도들이 식사 자리에 등장하기 전까지는 말입니다. 하지만 유대인들이 도착하자 베드로는 이방인들과의 식사를 멈추고 자리를 떠났습니다. 이는 이방인들에게 유대인의 율법을 지켜야 한다고 말하는 사람들처럼 행동한 것입니다. 사실은 그렇지 않다는 것을 알면서도 말입니다! 베드로는 바나바까지도 같은 행동을 하게 만들었습니다. 바나바는 성도들을 격려하고 하나 되게 하는 사람으로 잘 알려졌던 사람입니다.

이 사실을 알게 된 사도 바울은 베드로를 책망했습니다. 바울은 하나님이 사람의 행위가 아니라 믿음을 보고 의롭다고 인정하신다는 것을 강조했습니다(롬 3:21~22 참조). 베드로의 행동은 복음의 핵심적인 가르침과 모순되는 것이었습니다.

바울은 갈라디아 성도들에게 이 이야기를 들려주었습니다. 이 진리는 우리에게도 적용됩니다. 구원은 민족성이나 외형적인 율법을 순종함으로써 얻는 것이 아닙니다. 예수 그리스도를 믿는 믿음으로 구원을 받습니다. 그리고 그 구원의 은혜는 민족과 족속과 나라를 불문하고 모든 사람에게 값없이 주어집니다.

티칭 포인트

아이들을 가르칠 때, 과연 자신에게 구원받을 자격이 있는지 의문을 품지 말라고 말해 주십시오. 구원은 예수님 안에 있습니다. 하나님이 모든 사람을 사랑하시기 때문에 우리도 예수님 안에서 모든 사람을 사랑할 수 있다고 아이들에게 가르쳐 주십시오.

주 제

바울은 오직 예수님을 믿는 믿음으로 구원받는다고 말했어요.

가스펠 링크

자신의 힘으로는 구원을 얻을 수 없어요. 예수님을 믿는 믿음으로 구원을 받을 수 있어요.

바울이 베드로의 행동을 나무랐어요 갈 2:11~21

사도 바울은 가는 곳마다 사람들에게 좋은 소식을 전하기 위해 애썼어요. 유대인과 이방인 모두에게 예수님을 전했지요. 바울은 사람들이 진리가 아닌 것을 믿지 않도록 진리를 전하는 일에 힘썼어요. 바울은 무엇이 진리인지 알 수 있도록 갈라디아 성도들에게 편지를 썼어요. 갈라디아는 로마의 땅이었어요. 그곳 성도들은 대부분 이방인이었어요. 바울은 편지에서 베드로의 그릇된 선택에 관해 이야기했어요.

베드로는 예수님의 열두 제자 중 한 명이었어요. 그는 하나님이 이방인을 유대인처럼 받아들이셨다는 사실을 알고 이방인 성도들과 함께 식사했어요. 하지만 유대인 성도들이 오자 베드로는 식사를 멈추고 그 자리를 떠났어요. 이방인도 율법을 지켜야 구원받는다고 주장하는 유대인들처럼 행동한 거예요. 사실은 그렇지 않다는 것을 알면서 말이에요.

바울은 베드로의 행동이 잘못되었다고 말했어요. 사실 베드로는 하나님이 아니라 사람들 때문에 마지못해 그런 행동을 했던 거예요. 그런데 베드로의 그릇된 행동을 본 다른 사람들이 그 행동을 따라 하기 시작했지요. 바울은 베드로가 마치 예수님을 믿는 믿음으로 구원받는다는 사실을 부정하는 사람처럼 행동했다고 말했어요. 그리고 모든 사람 앞에서 베드로에게 말했어요. 하나님은 율법이나 어떤 규칙을 잘 지킨다고 그 사람을 구원하는 분이 아니시라고 말이에요. 그런데 왜 이방인에게 억지로 유대인의 율법을 지키라고 하냐고 베드로를 나무랐지요. 하나님은 예수님을 믿기만 하면 유대인이든 이방인이든 모두 받아들이세요.

율법은 죄에서 구원을 받으려면 예수님이 필요하다는 사실을 깨닫게 해 주어요. 예수님 덕분에 바울과 베드로뿐만 아니라 모든 그리스도인이 하나님을 위해 살 수 있게 된 거예요. 바울은 성도들에게 보내는 편지에 "나의 옛 삶은 죽었습니다. 내가 예수님과 함께 십자가에 못 박혔기 때문입니다. 예수님은 나에게 새로운 삶을 주셨습니다. 하나님의 아들을 믿는 믿음 안에서 사는 삶을 말입니다"라고 썼어요. 예수님을 믿는다는 것은 죄를 거부하는 거예요. 죄 용서와 영원한 생명을 얻기 위해 오직 예수님만 믿는 것이지요. 믿음은 죄인을 향한 하나님의 은혜와 사랑을 기억하는 거예요. 바울은 "율법에 순종하는 것으로 구원받을 수 있다면 예수님이 죽으실 필요가 없었습니다"라고 편지에 썼어요.

●● 가스펠 링크

복음이 모든 사람에게 주어졌다는 것을 아는 베드로는 스스로를 이방인과 구별 짓는 잘못을 저질렀어요. 바울은 갈라디아 성도들에게 오직 예수님만 사람을 죄에서 구하실 수 있다는 사실을 떠올려 주었어요. 자신의 힘으로는 구원을 얻을 수 없어요. 예수님을 믿는 믿음으로 구원을 받을 수 있어요.

가스펠 준비 10~20분

*는 선택 활동입니다.

환영

도착하는 아이들을 반갑게 맞이하고 헌금, 출석, QT 등을 확인하며 격려한다. 새 친구가 있다면 소개한다. 편안한 분위기에서 안부를 물으며 오늘의 말씀과 관련된 화제로 이야기를 나눈다. 아이들에게 잘못된 일인 것을 알면서도 해야 할 것 같은 부담감을 느껴 본 적이 있는지 물어본다. 자발적으로 대화에 참여하도록 이끈다.

예) "잘못된 일인 것을 알면서도 해야 했던 일이 있었나요?", "그 일을 했나요?" 등.

— 다른 사람이 여러분에게 어떤 행동을 하기를 바란다면 그것을 거부하기가 쉽지 않을 거예요. 그런데 그 일이 잘못된 일인데도 다른 사람 때문에 어쩔 수 없이 해야 한다면 큰 문제가 되겠지요. 오늘은 베드로가 이방인을 피해야 한다는 부담감을 느꼈던 일에 관해 들을 거예요. 이방인을 피하는 것은 왜 잘못된 일일까요?

마음 열기

거꾸로 "베드로 가라사대" *

① 술래를 한 명 정하고, 아이들에게 지시를 내리게 한다.

② 술래에게 어떤 지시는 "머리를 만져" 또는 "5번 뛰어"와 같이 단순하게 내리지만, 어떤 지시는 "베드로 가라사대"라고 시작해야 한다고 말해 준다.

③ 아이들에게 "베드로 가라사대"라는 말이 없이 지시한 경우에만 지시를 따라야 한다고 일러 준다.

④ 지시를 따라야 하는데 따르지 않았거나, 따르지 않아야 하는데 따른 아이는 자리에 앉힌다. 한 명만 남을 때까지 놀이를 계속한다.

— 우리가 평소에 하던 놀이와 반대였어요. 베드로의 말을 따르는 대신 베드로의 말을 따르지 않아야 했지요. 오늘 성경 이야기에서는 예수님의 열두 제자 중 한 명인 베드로가 다른 사람의 시선을 의식해서 잘못 행동하는 모습을 보게 될 거예요.

교회로 가는 길 *

[준비물] 연필, 종이

① 아이들을 2팀으로 나누고, 각 팀에 연필과 종이를 나누어 준다.

② 각 팀에 간단한 임무를 하나씩 주고, 그 임무를 완수하는 방법을 가능한 한 많이 적으라고 한다.

예) 집에서 교회까지 오는 방법, 학교에서 학원가는 방법, 집에서 마트에 가는 방법 등.

③ 팀별로 적은 내용을 발표하는 시간을 가진다.

— 어떤 일을 수행하는 방법에는 여러 가지가 있어요. 하지만 죄에서 구원받는 방법은 단 하나뿐이에요. 이것이 무슨 말인지 좀 더 자세히 알아보기로 해요.

교사를 위한 기록장 이 과를 준비하면서 깨닫게 된 묵상을 정리해 보세요.

·나는 하나님이나 나에 대해

알게 되었습니다.

·기억해야 할 하나님의 명령이나 약속은

입니다.

·아이들에게 전하고 싶은 메시지는

입니다.

가스펠 설교

15~30분

들어가기

[준비물] 등산화, 배낭, 등산용 지팡이

등산화를 신고, 배낭을 메고, 지팡이를 짚으며 들어온다.

여러분, 안녕하세요! 산오름 등산로에 오신 것을 환영합니다. 저는 여러분의 가이드 인도자의 이름입니다. 저는 산을 오르는 동안 여러분의 상태를 최고로 유지하게 도와주는 역할을 해요. 저는 이 일이 정말 재밌지만 가끔은 힘들어요. 어떤 상황이 일어났을 때 어떻게 해야 하는지에 관해 저와 다른 생각을 가진 사람을 지도해야 할 때가 있기 때문이에요. 저는 가이드이기 때문에 여러분은 모두 제 말에 귀를 기울이고 제가 하는 지시에 따라야 해요.

가끔은 등산로에 대해 저보다 더 잘 안다고 생각하는 사람들이 있어요. 그런 사람들은 다른 사람에게 지시를 내리기도 하지요. 하지만 그것은 정말 위험한 행동이에요. 특히 그 사람의 생각이 틀렸을 때는 더욱 위험하지요! 여러분은 모두 제 말을 잘 따를 거라고 믿어요!

잘못된 생각으로 다른 사람에게 지시를 내린 사람에 관해 이야기하다 보니 성경 이야기가 하나 떠오르네요. 이 성경 이야기는 잘못된 행동으로 다른 사람들에게 영향을 준 베드로의 이야기랍니다.

연대표

'어린이를 위한 가스펠 프로젝트_하나님의 구원 계획' 영상(지도자용 팩)을 보여 주고, 오늘의 성경 이야기도 하나님의 거대한 구원 계획의 한 부분에 속하는 이야기임을 상기시킨다.

우리는 지금까지 하나님의 말씀을 공부하면서 성경의 모든 이야기는 예수님에 관한 하나의 큰 이야기라는 것을 알게 되었어요. 이번 주 성경 이야기는 하나님이 성령님을 보내 예수님을 따르는 사람들에게 능력을 주신 이후의 이야기예요. 많은 사람이 예수님을 믿게 되고, 교회가 커지면서 여러 가지 문제가 생겼어요. 연대표에서 오늘의 성경 이야기를 가리킨다. 오늘 성경 이야기의 제목은 "바울이 베드로의 행동을 나무랐어요"예요. 어떤 문제가 있었는지 함께 알아보아요.

성경의 초점

여러분 모두 제 말을 잘 따라 주면 좋겠어요. 그래야 제가 이 산에서 여러분을 안전하게 지켜 줄 수 있으니까요. 하나님은 우리가 우리 삶의 모든 부분에서 하나님께 순종하기를 바라세요. 이번 단원의 '성경의 초점'의 질문은 **"하나님은 왜 우리가 순종하기를 바라시나요?"**랍니다. 성경 이야기를 잘 들으면 답을 찾을 수 있을 거예요!

성경 이야기

갈라디아서 2장 11~21절을 펴고, 설교 영상(지도자용 팩)을 보여 주거나 이야기 성경을 들려준다. 바울이 편지를 쓰고 있다고 말하는 장면에서 두루마리와 펜을 들고 편지를 쓰는 동작을 한다. 또는 읽는 속도를 조절하면서 아이들의 몰입도를 높인다.

사도란 하나님의 일을 하기 위해 하나님이 보내신 사람을 말해요. 예수님은 사람들에게 예수님에 관해 가르치고 교회를 이끌게 하려고 사도들을 세우셨지요. 베드로와 바울도 사도였어요. 사도이며 선교사였던 바울은 유대인이든 이방인이든 가리지 않고 죄인을 구원하시는 예수님을 전했어요.

이방인은 유대인이 아닌 사람을 말해요. 바울은 하나님이 모든 사람을 똑같이 생각하신다는 것을 알았어요. 베드로도 하나님이 유대인이든 이방인이든 모든 사람을 사랑하신다는 것을 알았어요. 그래서 이방인 성도들을 가르치기도 하고, 그들과 함께 식사도 했지요. 하지만 어떤 유대인 성도들은 베드로가 이방인과 가까이 지내면 안 된다고 생각했어요. 어느 날 베드로는 이방인 성도들과 함께 식사를 하고 있을 때, 유대인 성도들이 그곳에 들어오자 그 자리를 떠났어요. 이것은 구원을 받으려면 이방인도 유대인의 율법을 지켜야 한다고 주장하는 사람들처럼 행동한 거예요.
이 소식을 들은 바울은 베드로에게 하나님은 우리 모두를 사랑하시고, 유대인과 이방인 모두를 구원하려고 예수님을 보내셨다고 말했어요. 유대인 성도들 앞에서 이방인 성도들을 함부로 대하는 것은 옳지 않다고 했지요.
바울은 갈라디아 교회에 보내는 편지를 통해 하나님이 우리를 어떻게 사랑하시는지를 알려 주었어요. **바울은 오직 예수님을 믿는 믿음으로 구원받는다고 말했어요.** 율법을 잘 지킨다고 구원을 받는 것이 아니에요. 율법을 지키는 것으로 구원받을 수 있는 사람은 아무도 없어요. 그렇다면 **하나님은 왜 우리가 순종하기를 바라시나요? 하나님의 사랑에 대한 우리의 응답이 순종이기 때문이에요.**

가스펠 링크

복음이 모든 사람에게 주어졌다는 것을 아는 베드로는 스스로를 이방인과 구별 짓는 잘못을 저질렀어요. 바울은 갈라디아 성도들에게 오직 예수님만 사람을 죄에서 구하실 수 있다는 사실을 떠올려 주었어요. 자신의 힘으로는 구원을 얻을 수 없어요. 예수님을 믿는 믿음으로 구원을 받을 수 있어요.

찬양

주의 교회

차별하지 않는 것 주께 감사하는 것
편 가르지 않는 것 서로를 감싸 주는 것
이것이 주의 교회

차별하지 않는 것 범사에 감사하는 것
이기심을 버리고 서로를 사랑하는 것
이것이 주의 자녀

순종해 주 말씀 따라 살기로
순종해 끝까지 사랑하기로
순종해 주님이 사랑하시듯
아껴 주며 서로 이해하는
우린 주의 자녀.

복음 초청

성경과 21쪽 복음 초청 가이드를 이용해서 아이들에게 그리스도인이 되는 법을 설명해 준다. 따로 상담해 줄 사람을 정해 주고 궁금한 점이 있으면 물어보도록 격려한다.

이 시간 예수님을 마음에 모시고 싶은 친구는 함께 기도해요.

기도

하나님, 죄로 인해 죽을 수밖에 없는 우리를 위해 하나뿐인 아들 예수 그리스도를 보내 주셔서 감사합니다. 오늘 말씀을 통해 우리의 행동이 아닌 믿음으로 구원을 받는다는 것을 배웠습니다. 우리에게 은혜를 베풀어 주시고, 우리의 믿음이 더욱더 단단해질 수 있도록 함께해 주세요. 예수님의 이름으로 기도합니다. 아멘.

적용

TIP 설교 도입이나 적용으로 활용하거나 영상을 본 뒤 소그룹으로 나누어 풍성한 대화를 이어 갈 수 있습니다.

여러분과 다른 사람에게 편견을 가지고 대한 적이 있나요? 오늘의 영상을 보며 함께 생각해 보아요.

적용 예화 영상(지도자용 팩)을 보여 준 후, 다음의 질문으로 이야기를 나눈다.

1 컵케이크는 왜 머핀과 말을 하지 않았나요?
2 누군가를 피하거나 다르게 대하고 싶은 유혹을 받은 적이 있나요?
3 복음은 다른 사람을 대하는 우리의 모습을 어떻게 변화시키나요?

복음은 모든 사람을 위한 것이에요. 예수님은 우리를 사랑하셔서 우리를 위해 죽으셨어요. 죄인인 우리는 예수님과 너무나 다른 사람이었는데도 말이에요. 예수님이 모든 사람을 사랑하시고 또 우리가 예수님을 사랑한다면, 우리도 모든 사람을 사랑할 수 있을 거예요.

가스펠 소그룹

10~20분

나침반

그리스도와 함께

"내가 그리스도와 함께 십자가에 못 박혔나니 그런즉 이제는 내가 사는 것이 아니요 오직 내 안에 그리스도께서 사시는 것이라 이제 내가 육체 가운데 사는 것은 나를 사랑하사 나를 위하여 자기 자신을 버리신 하나님의 아들을 믿는 믿음 안에서 사는 것이라"(갈 2:20).

[준비물] 학생용 교재 6쪽, 연필이나 색연필

① 흐린 글씨를 따라 써 갈라디아서 2장 20절을 완성하라고 한다.

② 여러 번 읽으며 외우게 한다.

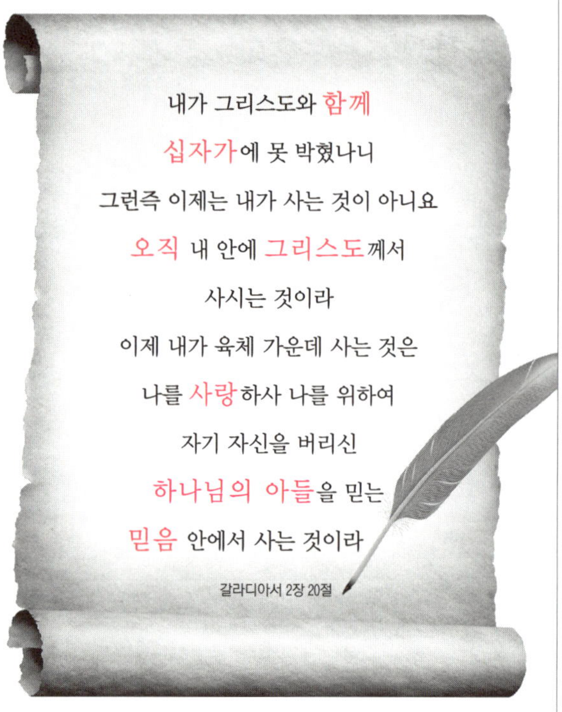

— 바울은 이 말씀을 갈라디아 성도들에게 보내는 편지에 썼어요. 그는 자기 생명이 그리스도와 함께 십자가에 못 박혔다고 말했어요. 바울의 옛 삶의 방식은 죽었다는 말이지요. 그는 자신을 위해 살던 삶을 버리고 예수님을 위해 살기 시작했어요. 예수님을 위해 산다는 말에는 예수님처럼 사랑한다는 뜻도 있어요. 우리가 다른 사람을 사랑하는 것은 하나님이 우리를 사랑하셨기 때문이에요.

보물 지도

색지를 뒤집어

[준비물] 색지, 가위, 사인펜

① 아래 질문과 답을 각각 색지에 적어 놓는다.

② 색지를 뒤집어 놓고, 아이들에게 문제와 답을 알맞게 정리해 보라고 한다.

③ 아이들이 문제와 답을 완성하면 인도자는 맞힌 개수와 틀린 개수를 말해 준다.

④ 아이들에게 틀린 문제를 찾아내 다시 문제와 답을 연결하라고 한다.

⑤ 모든 질문과 답을 바르게 연결할 때까지 계속한다.

1. 갈라디아서는 어떤 책 앞에 있나요? 에베소서
2. 베드로의 어떤 행동이 잘못된 행동이었나요?
   야고보가 보낸 유대인들이 오자 그들을 두려워하여 이방인과 함께 먹다가 물러간 것 (갈 2:12)
3. 베드로의 행동이 잘못되었다고 책망한 사람은 누구인가요?
   바울 (갈 2:11)
4. 착한 행동이나 율법을 지키는 것으로 죄에서 구원받을 수 있나요?
   없다 (갈 2:15~16)
5. 예수님을 믿고 의지하면 우리의 옛 삶은 어떻게 되나요?
   옛 삶은 그리스도와 함께 십자가에 못 박히고, 그리스도 안에서 새로운 삶을 살게 된다 (갈 2:20)
6. **하나님은 왜 우리가 순종하기를 바라시나요?**
   하나님의 사랑에 대한 우리의 응답이 순종이기 때문이에요.

— 바울은 베드로에게 다른 유대인들 앞에서 복음의 진리를 따라 바르게 행하지 않았다고 말했어요. 이방인에게 억지로 유대인의 율법을 지키라고 행동한 베드로를 나무랐지요. 율법을 지켜서 구원받을 수 있는 사람은 아무도 없어요. 유대인이나 이방인 모두 오직 예수 그리스도를 믿는 믿음으로 구원을 받아요. 그렇다면 **하나님은 왜 우리가 순종하기를 바라시나요? 하나님의 사랑에 대한 우리의 응답이 순종이기 때문이에요.**

탐험하기

복음은!

[준비물] 학생용 교재 7쪽, 81쪽 '복음 스티커', 연필이나 색연필

① 미로를 통과하며 복음이 전해진 사람을 찾아 81쪽의 '복음 스티커'를 붙이라고 한다.

② 미로를 통해 모든 사람에게 갈 수 있다고 말해 준다.

③ 복음은 누구에게나 전해진다는 것을 알려 준다.

바울은 오직 예수님을 믿는 믿음으로 구원받는다고 말했어요. 하나님의 율법을 완벽하게 지킬 수 있는 분은 예수님뿐이세요. 바울은 갈라디아 성도들에게 유대인이든 이방인이든 모두 믿음으로 구원받는다고 말했어요. 예수님을 믿을 때 우리의 옛 삶은 그리스도 안에서 새로운 삶으로 바뀌고, 우리는 주님을 위해 살게 되어요. 하나님의 율법을 완전하게 지킬 수 없는데도 **하나님은 왜 우리가 순종하기를 바라시나요? 하나님의 사랑에 대한 우리의 응답이 순종이기 때문이에요.**

규칙 신호등 *

[준비물] 마스킹 테이프

① 아이 중 '경찰'을 한 명을 정한다.

② 경찰과 아이들을 예배실 양 끝에 세우고, 마스킹 테이프로 아이들 앞에 출발선을 표시한다.

③ 경찰은 아이들을 등지고 서서, "초록색 불이 켜졌습니다" 또는 "빨간색 불이 켜졌습니다" 중 하나씩 말할 수 있다고 일러 준다.

④ 아이들에게 경찰이 "초록색 불이 켜졌습니다"라고 외치면 경찰을 향해 뛰어가라고 한다.

⑤ 뛰어갈 때 몇 가지 규칙을 지켜야 한다고 말해 준다.

- 항상 왼발부터 시작해야 한다.
- 2번째 걸음에서 만세를 해야 한다.
- 한 번에 5걸음까지 갈 수 있다.

⑥ 경찰이 "빨간색 불이 켜졌습니다"라고 외치며 뒤를 돌면, 아이들은 그 자리에 멈추어야 한다고 말해 준다.

⑦ 이때 움직이다가 들킨 아이나 규칙을 지키지 않은 아이는 출발선으로 돌아가게 한다.

⑧ 아이들이 모두 출발선으로 돌아가면 경찰이 이긴다. 경찰을 새로 뽑아 놀이를 반복한다.

규칙이 너무 복잡해서 완벽하게 지키기가 거의 불가능했지요? 규칙 하나하나가 예배실 반대편으로 가는 것을 힘들게 만들었어요. 마찬가지로 하나님의 율법도 완전하게 지키는 것이 불가능해요. 우리 노력으로는 결코 하나님에게 가까이 갈 수 없지요. 그래서 예수님이 우리에게 오신 거예요. 예수님은 하나님의 율법을 완전하게 지키시고, 우리 죄를 대신 지고 죽으셨어요. 예수님을 믿고 우리의 죄를 고백하면 죄를 용서받고 예수님을 통해 새로운 삶을 얻어요. **바울은 오직 예수님을 믿는 믿음으로 구원받는다고 말했어요.**

무엇이 달라졌을까요? *

[준비물] 교회에서 구할 수 있는 물건들(학용품, 장난감 등), 책상, 천 또는 종이

① 교회에 있는 다양한 물건을 책상 위에 펼쳐 놓고 큰 천으로 덮는다.

② 천을 들춰서 아이들에게 물건들을 잠깐 보여 준 다음 다시 천을 덮어 둔다.

③ 아이들이 보지 못하게 하며 물건을 2개씩 뺀다.

④ 천을 걷은 후, 아이들에게 무엇이 달라졌는지 물어본다.

⑤ 여러 번 반복하며 놀이를 진행한다.

TIP 천이 없을 때는 아이들에게 눈을 감으라고 해도 좋다.

처음에 봤을 때와 두 번째 봤을 때 차이가 별로 없어서 알아보기 어려웠지요? 오늘 성경 이야기에서 베드로는 마치 자신이 이방인과 다른 것처럼 행동했어요. 구원을 받으려면 무언가 특별한 일을 더 해야 한다고 말하는 사람들처럼 말이에요. 우리가 하나님께 순종하는 것은 구원받기 위해서가 아니에요. 본래 우리는 하나님께 완전히 순종할 수 없는 사람들이에요. **바울은 오직 예수님을 믿는 믿음으로 구원받는다고 말했어요.** 순종이 아니라 믿음으로 말이에요. 그렇다면 **하나님은 왜 우리가 순종하기를 바라시나요? 하나님의 사랑에 대한 우리의 응답이 순종이기 때문이에요.**

보물 상자

나만의 기록장

[준비물] 학생용 교재 8쪽, 연필이나 색연필

성경 이야기를 통해 알게 된 것을 글이나 그림으로 표현해 보라고 한다.

· 이 성경 이야기는 하나님이나 복음에 대해 무엇을 말하고 있나요?

· 이 성경 이야기를 통해 나에 대해 알게 된 사실은 무엇인가요?

· 이 성경 이야기를 통해 깨달은 하나님의 마음은 무엇인가요?

메시지 카드

[준비물] 학생용 교재 73쪽 메시지 카드, 카드 고리, 펀치, 가위

① 카드를 오리고 펀치로 구멍을 뚫어 고리로 연결하게 한다.

② 가방이나 지갑에 고리를 끼워 항상 휴대하면서 오늘 배운 성경 이야기를 수시로 기억하게 하고, 가족과도 함께 나눌 수 있도록 격려한다.

기도

하나님, 우리의 행함이 아닌 예수님을 믿는 믿음으로 구원하시는 하나님을 찬양합니다. 하나뿐인 아들 예수님을 보내 우리를 죄에서 구원해 주셔서 감사합니다. 우리를 사랑하셔서 끝까지 책임지시는 하나님을 바라봅니다. 예수님의 이름으로 기도합니다. 아멘.

복음 초청 가이드

나를 위한 하나님의 멋진 계획

'복음'이라는 말을
들어 본 적 있니?
복음이란
'좋은 소식'이라는 뜻이야.
우리에게 보내신 하나님의
좋은 소식이 무엇일까?

하나님은 세상을 만드셨단다

하나님은 온 세상을 만드셨고 사람을 아름답게 창조하셨어.
(창세기 1:1; 골로새서 1:16~17; 요한계시록 4:11)

사람들은 죄를 짓고 하나님을 떠났어

그런데 사람들은 모두 죄를 지었고 하나님에게서 떠나 버렸어.
죄를 짓고 하나님과 관계가 끊어진 사람들은 결국 죽을 수밖에 없단다.
(로마서 3:23, 6:23)

하나님은 구원 계획을 갖고 계시단다

우리는 아무리 노력해도 하나님과 하나가 될 수 없었고 죽을 수밖에 없었어. 그래서 하나님은 우리를 구원하시고 다시 살리시기 위해서 예수님을 보내 주셨단다.
(요한복음 3:16; 에베소서 2:8~9)

예수님이 우리에게 생명을 주셨어

예수님은 우리의 죄를 씻어 주시려고 십자가에서 우리 대신 죽으셨단다. 우리는 예수님 때문에 다시 깨끗해졌고 하나님과 함께 살 수 있게 되었어. 예수님이 자기의 생명을 내어 주셨기 때문에 우리는 영원한 생명을 얻을 수 있게 되었고 하나님과 함께 살 수 있게 되었어.
이것이 하나님의 최고의 선물이야!
(로마서 5:8; 고린도후서 5:21; 베드로전서 3:18)

예수님! 우리 마음에 오세요!

예수님을 믿고 마음에 받아들이면 하나님의 자녀가 된단다.
이것이 가장 좋은 소식, 복된 소식, 복음이란다.
(요한복음 1:12~13; 로마서 10:9~10, 13)

예수님을 영접하기 원하는 어린이가 있다면 개인적으로 상담하고 영접 기도를 할 수 있도록 도와주세요.

예수님이 ○○를 사랑하시는 것을 믿겠니?
예수님이 ○○의 죄를 씻어 주신 것을 믿겠니?
예수님을 ○○의 마음에 받아들이겠니?

믿음을 고백하고 예수님을 영접하기 원하는 어린이를 위해 간절히 기도해 주세요.

이제 ○○는 하나님의 자녀(아들, 딸)가 되었어!
이것이 예수님을 통해 ○○에게 이루어 주신 하나님의 계획이야!
○○야, 하나님의 자녀(아들, 딸) 된 것을 축하해!

2

교회가 나뉘었어요

고전 1:10~31

단원 암송

내가 그리스도와 함께 십자가에 못 박혔나니 그런즉 이제는 내가 사는 것이 아니요 오직 내 안에 그리스도께서 사시는 것이라 이제 내가 육체 가운데 사는 것은 나를 사랑하사 나를 위하여 자기 자신을 버리신 하나님의 아들을 믿는 믿음 안에서 사는 것이라(갈 2:20).

성경의 초점

하나님은 왜 우리가 순종하기를 바라시나요? 하나님의 사랑에 대한 우리의 응답이 순종이기 때문이에요.

본문 속으로

바울은 두 번째 전도 여행 중에 그리스 남부 지역인 고린도에 교회가 세워지도록 도왔습니다. 고린도는 교회가 필요한 곳이었습니다. 온갖 악행으로 유명한 도시였기 때문입니다. 바울은 18개월 동안 고린도에 머문 뒤, 다른 지역에 복음을 전하고 교회를 세우기 위해 다시 여행을 떠났습니다.

그로부터 6년 후 바울은 고린도에서 온 성도 글로에를 통해 교회가 어려움을 겪고 있다는 소식을 들었습니다. 교회는 분열되었고 여러 가지 죄의 문제에 빠져 있었습니다. 심지어 부활을 부정하는 사람도 있었습니다! 이런 소식을 들은 바울은 분명히 괴로웠을 것입니다. 그는 결국 고린도 교회에 편지를 쓰기 시작했습니다.

바울이 처음 다룬 문제는 교회의 분열이었습니다. 아무리 바울이 다른 여러 문제를 해결하도록 도와준다 해도 분열된 모습으로는 고린도라는 악한 도시에 선한 영향을 미치는 교회가 되지 못할 것이기 때문입니다. 글로에의 소식에 따르면 고린도 교회에 몇몇 분파가 생겼습니다. 어떤 사람들은 바울을 따른다고 주장했습니다. 어떤 사람들은 아볼로를, 또 다른 사람들은 베드로를 따른다고 주장했습니다. 심지어 어떤 이들은 예수님을 따른다고 주장하기도 했지만 겉으로만 그럴듯한 말이었습니다. 이 사람들은 그저 남들보다 조금이라도 더 영적으로 보이고 싶었을 뿐입니다.

바울은 고린도 성도들에게 분열되어서는 안 된다고 말했습니다. 바울은 그들이 예수님을 믿는 믿음으로 하나가 되어야 한다고 했습니다. 예수님은 나누어지지 않습니다. 우리를 위해 십자가에서 죽으신 분은 오직 예수님 한 분뿐입니다. 바울의 메시지는 분명했습니다. 복음은 성도들을 분열시키는 것이 아니라, 하나가 되게 한다는 것입니다.

●● 티칭 포인트

아이들을 포함해 우리는 모두 편 가르기 전문가입니다. 죄와 이기심은 편을 가르지만, 예수님과 복음은 나뉜 것을 하나 되게 합니다. 하나님은 다양한 아름다움을 지닌 사람들이 진정으로 하나가 되는 것이 무엇인지 보여 주는 교회를 설계하셨습니다. 바울이 고린도 성도들에게 전했던 메시지가 여러분과 아이들의 마음속에 뿌리내리게 해 달라고 기도하십시오. 하나님이 우리가 만들어 낸 장벽을 허무시고, 아이들이 그리스도 안에서 형제자매로 하나 되게 해 주시길 기도하십시오.

주 제

바울은 그리스도인은 예수님을 믿는 믿음으로 하나가 되어야 한다고 말했어요.

가스펠 링크

예수님과 예수님이 베푸신 구원으로 인해 그리스도인들은 겸손하게 한 몸이 될 수 있어요.

교회가 나뉘었어요 고전 1:10~31

고린도는 온갖 악행으로 소문난 도시였어요. 교회가 꼭 필요한 곳이었지요. 바울은 고린도에 교회를 세우고 그곳에서 1년 반을 머물렀어요. 그런 다음 복음을 전하기 위해 다른 곳으로 떠났어요. 그로부터 6년 후 바울은 고린도 교회가 어려움을 겪고 있다는 소식을 들었어요. 성도들이 서로 다투는가 하면, 자신들의 믿음에 의문을 품기도 했어요. 그래서 바울은 교회가 문제를 해결하도록 돕기 위해 편지를 보냈어요.

고린도 성도들은 여러 편으로 나뉘어 있었어요. 어떤 무리는 바울 편이라고 으스댔어요. 어떤 무리는 아볼로 편이라 하고, 또 다른 무리는 베드로 편이라고 했어요. 심지어 예수님 편이라고 주장하는 무리도 있었어요. 바울은 서로 편을 가르면 안 된다고 말했어요. 그리스도인은 한마음으로 같은 것을 믿어야 해요. 바울은 편지에 그리스도인이 예수님을 믿는 믿음으로 하나가 되어야 한다고 썼어요.

"예수님이 나뉘었습니까? 십자가에서 여러분을 위해 죽은 사람이 바울입니까? 아니면 여러분이 바울의 이름으로 세례를 받았습니까?"라고 바울이 물었어요. 당연히 아니지요! 예수님은 십자가에서 죽으셨고, 그리스도인은 예수님의 이름으로 세례를 받아요. 우리는 복음으로 하나가 되어야 해요. 바울은 예수님을 주님으로 믿는 그리스도인은 모두 사이좋게 지내며 서로를 사랑해야 한다고 했어요.

바울은 잃어버린 자들에게는 예수님에 관한 복음이 어리석은 것처럼 보인다고 말했어요. 잃어버린 자들이란 예수님을 믿지 않는 사람들을 말해요. 하지만 예수님을 믿는 사람들에게 십자가는 하나님의 능력이에요. 많은 사람이 자신이 아는 것이 많다고 생각하지만 그들이 아는 것은 세상의 지혜일 뿐, 하나님에 대해서는 알지 못해요. 그래서 그들에게는 복음이 어리석은 일처럼 들리는 거예요.

바울은 고린도 성도들에게 하나님이 그들을 하나님의 가족으로 선택하셨다는 사실을 생각해 보라고 말했어요. 하나님은 사람을 그의 지혜나 능력이나 환경을 보고 선택하지 않으세요. 바울은 하나님이 예수님을 믿는 사람을 구원하신다고 말했어요. 자신의 노력으로 구원받을 수 있는 사람은 아무도 없어요. 그러므로 아무도 구원받은 것을 자랑할 수 없어요. 고린도 성도들이 자랑해야 할 것이 있다면, 그것은 예수님과 예수님이 하신 일이었어요.

●● 가스펠 링크

바울이 고린도 성도들에게 복음으로 하나가 되라고 말했어요. 죄인을 구원하는 분은 예수님이시라는 사실을 강조했지요. 예수님과 예수님이 하신 일 덕분에 그리스도인들은 겸손하게 한 몸이 될 수 있어요.

가스펠 준비

10~20분

환영

도착하는 아이들을 반갑게 맞이하고 헌금, 출석, QT 등을 확인하며 격려한다. 새 친구가 있다면 소개한다. 편안한 분위기에서 안부를 물으며 오늘의 말씀과 관련된 화제로 이야기를 나눈다. 아이들에게 친구나 형제자매와 의견이 달랐던 적이 있는지 물어본다. 의견 차이를 어떻게 해결했는지 물어본다. 자발적으로 대화에 참여하도록 이끈다.

예) "친구와 의견이 맞지 않았던 적이 있나요?", "어떻게 해결했나요?" 등.

— 다른 사람과 생각이 다를 때 우리는 종종 그 사람에게 화를 내거나 짜증을 내기도 해요. 화를 내는 것은 생각 차이를 해결하는 좋은 방법이 아니에요. 오늘은 고린도 교회에 있는 성도들에 관한 이야기를 들어볼 거예요. 그들 사이에는 다툼이 많았어요. 그래서 바울은 그들이 하나님을 높이는 방법으로 문제를 해결할 수 있도록 도와주려고 편지를 썼어요.

마음 열기

퍼즐 맞추기 *

DVD

[준비물] 2과 일러스트(지도자용 팩), 가위

① '2과 일러스트'를 출력해 8조각을 낸 후 예배실 바닥에 흩어 놓는다.
② 아이들에게 퍼즐 조각을 살펴본 후, 퍼즐을 맞추기 전에 어떤 그림인지 맞혀 보라고 한다.
③ 서로 이야기를 나눈 후, 퍼즐을 맞추게 한다.

— 퍼즐 조각 하나하나는 모두 다르지만, 한데 모이면 하나의 그림이 되어요. 오늘은 서로 생각이 달라 하나가 되지 못하고 편이 갈라진 어떤 교회에 관한 이야기를 들어 볼 거예요. 그들은 다시 하나가 될 수 있었을까요?

1, 2, 3! *

[준비물] 찬양 1곡

① 찬양을 틀고 아이들에게 자유롭게 찬양과 율동을 하라고 한다.
② 인도자가 아이들 수를 고려해 2~4개의 팀으로 나누어지도록 숫자를 외친다.
③ 예를 들어, 아이가 8명이라면 "4명" 또는 "2명"이라고 외쳐 인원 수만큼 모이라고 한다.
④ "3명"이나 "5명"씩 홀수를 부를 경우 짝을 이루지 못한 아이들은 옆으로 빠져 있다가 새롭게 시작할 때 다시 참여하게 한다.
⑤ 여러 번 반복하며 놀이를 진행한다.

— 즐겁게 찬양을 부르며 놀이를 하는 동안 계속해서 짝을 바꿔 가며 놀이를 했어요. 때로는 짝을 이루기 위해 다른 친구를 밀쳐내기도 했지요. 오늘 성경 이야기에서는 서로 편을 가르며 한마음이 되지 못한 교회가 나와요. 그들은 왜 하나가 되지 못했을까요?

교사를 위한 기록장 이 과를 준비하면서 깨닫게 된 묵상을 정리해 보세요.

· 하나님이나 나에 대해 새롭게 알게 된 것은?

· 기억해야 할 하나님의 말씀은?

· 아이들에게 전하고 싶은 메시지는?

가스펠 설교

15~30분

들어가기

[준비물] 등산화, 배낭, 등산용 지팡이

등산화를 신고, 배낭을 메고, 지팡이를 짚으며 들어온다.

여러분, 안녕하세요! 산오름 등산로에 다시 오신 것을 환영합니다. 저의 목표는 등산을 하는 동안 여러분을 안전하게 지키는 거예요! 절벽 길을 걸을 때 안전을 위해 제가 사용하는 방법은 튼튼한 밧줄로 여러분 모두를 연결하는 것이랍니다. 그러면 한 사람이 미끄러지거나 넘어져도 밧줄로 연결된 다른 사람들이 버티고 서서 넘어진 사람을 잡아 줄 수 있지요. 한마디로 "뭉치면 살고, 흩어지면 죽는 것"이지요. 어떤 면에서는 우리 그리스도인의 삶도 이와 같아요. 서로 하나가 되어 그리스도 안에서 한 몸이라는 사실을 아는 것이 정말 중요하지요. 그러고 보니 들려주고 싶은 성경 이야기가 하나 생각났어요.

연대표

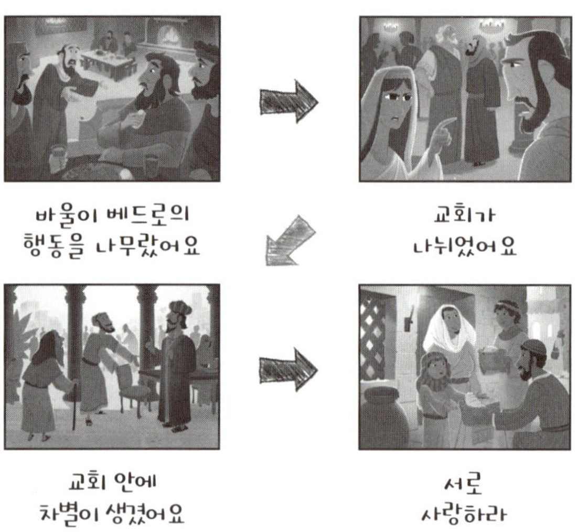

지난주에는 바울이 베드로의 이야기를 듣고 갈라디아 교회에 편지를 쓴 이야기를 들었어요. **바울은 오직 예수님을 믿는 믿음으로 구원받는다고 말했어요.** 그는 베드로에게 율법을 지키는 것으로는 구원받을 수 없고 오직 예수님만이 우리를 구원하신다는 점을 일깨워 주었어요. 오늘은 고린도 교회의 이야기를 들을 거예요. 바울은 고린도 성도들에게 서로의 다른 점 때문에 편을 가르지 말라고 말했어요. 연대표에서 오늘의 성경 이야기를 가리킨다. 오늘 성경 이야기의 제목은 "교회가 나뉘었어요"랍니다.

성경의 초점

지난주에 배운 '성경의 초점'을 기억하는 사람 있나요? 아이들의 대답을 기다린다. 대단해요! **하나님은 왜 우리가 순종하기를 바라시나요? 하나님의 사랑에 대한 우리의 응답이 순종이기 때문이에요.** 어떤 사람들은 우리가 하나님의 사랑을 얻기 위해 하나님께 순종해야 한다고 생각해요. 하지만 사실은 그 반대예요! 하나님은 이미 우리를 사랑하세요. 하나님이 우리를 죄에서 구하실 만큼 사랑하신다는 사실을 알고 나면 하나님을 향한 우리의 사랑을 표현하고 싶어서 하나님께 순종하게 되는 거예요.

성경 이야기

DVD 고린도전서 1장 10~31절을 펴고, 설교 영상(지도자용 팩)을 보여 주거나 이야기 성경을 들려준다. 바울, 아볼로, 게바(베드로), 그리스도 파로 나뉘었다는 성경 이야기가 나오면 교사들에게 마스킹 테이프를 이용해 예배실을 4개의 영역으로 나누라고 한다. 그리고 그리스도인들이 서로 하나가 되어야 한다는 이야기가 나올 때에는 마스킹 테이프를 제거해 하나 되었다는 것을 보여 준다.

고린도 성도들은 서로 다른 의견을 내세우며 다투었어요. 그들이 가장 큰 관심을 기울이는 일 중 하나는 과연 누가 교회의 최고 지도자인가 하는 것이었어요. 어떤 사람은 바울을 따른다고 하고, 어떤 사람은 아볼로라는 선생을 따른다고 하고, 어떤 사람은 베드로를 따른다고 했어요. **바울은 그리스도인은 예수님을 믿는 믿음으로 하나가 되어야 한다고 말했어요.** 사실 우리는 모두 달라요. 가끔은 그 차이점 때문에 다른 사람과 사이좋게 지내거나 서로에게 사랑을 표현할 수 없다고 느끼기도 하지요. 바울은 우리를 갈라놓는 차이점보다 우리를 하나로 묶으시는 예수님을 기억하기를 원했어요. 같은 복음의 진리를 믿고 있다면 생각이 달라도 우리는 하나가 될 수 있어요.

이것은 복음에서 중요한 부분이에요. 하나님은 우리를 하나님의 형상대로 창조하셨어요. 하지만 죄가 우리를 하나님에게서 갈라놓았지요. 그런데도 여전히 우리를 사랑하시는 하나님은 우리가 예수님을 믿을 때 하나님과 하나가 되게 해 주세요. 다른 사람들, 특히 다른 그리스도인들과 생각이 다르더라도 우리는 서로를 용서하고 사랑을 표현할 수 있어요. 예수님이 우리를 용서하시고 우리에게 사랑을 표현하신 것처럼 말이에요.

복 / 습 / 질 / 문

1 고린도전서 바로 앞에 나오는 책은 무엇인가요? 로마서

2 고린도 교회의 가장 큰 문제는 무엇이었나요?

서로 편을 가르고 하나 되지 못하고, 성도들 사이에 분쟁이 있었다 (고전 1:11~13)

3 고린도 교회의 성도들은 누구를 따른다고 주장하며 편을 나눴나요?

바울, 아볼로, 게바(베드로), 그리스도 (고전 1:12)

4 바울은 무엇이 고린도 교회를 하나 되게 할 것이라고 말했나요?

그리스도, 복음 (고전 1:17, 22~25)

5 하나님은 왜 우리가 순종하기를 바라시나요?

하나님의 사랑에 대한 우리의 응답이 순종이기 때문이에요.

가스펠 링크

우리가 죄로 인해 하나님의 원수가 되었을 때, 하나님은 예수님을 보내셔서 십자가의 죽음으로 우리 죗값을 대신 치르게 하셨어요. 3일째 되던 날 예수님은 죽음을 이기시고 부활하셔서 우리가 하나님과 하나가 될 수 있는 길을 열어 주셨어요. 예수님을 믿으면 우리는 하나님의 가족이 되고, 그리스도의 한 몸이 되어요. 하나님은 우리의 지혜나 능력이나 집안을 보고 구원하시지 않아요. 예수님을 믿는 사람을 구원하시지요. 우리가 자랑할 것은 예수님과 예수님이 우리에게 베푸신 구원이에요.

바울이 고린도 성도들에게 복음으로 하나가 되라고 말했어요. 죄인을 구원하는 분은 예수님이시라는 사실을 강조했지요. 예수님과 예수님이 하신 일 덕분에 그리스도인들은 겸손하게 한 몸이 될 수 있어요.

복음 초청

DVD

성경과 21쪽 복음 초청 가이드를 이용해서 아이들에게 그리스도인이 되는 법을 설명해 준다. 따로 상담해 줄 사람을 정해 주고 궁금한 점이 있으면 물어보도록 격려한다.

이 시간 예수님을 마음에 모시고 싶은 친구는 함께 기도해요.

기도

하나님, 예수님의 죽음과 부활을 기억합니다. 예수님을 믿고 하나님의 가족이 되었다고 말하면서도 서로 사랑하지 못했습니다. 이제 서로 사랑하며 그리스도 안에서 한 몸을 이루는 우리가 되게 해 주세요. 그리고 성령님이 주시는 능력으로 예수님과 예수님이 우리를 위해 하신 일을 전하게 해 주세요. 예수님의 이름으로 기도합니다. 아멘.

적용

TIP 설교 도입이나 적용으로 활용하거나 영상을 본 뒤 소그룹으로 나누어 풍성한 대화를 이어 갈 수 있습니다.

같은 팀에 있는 친구들과 다툰 적이 있나요? 그 경험을 떠올리며 오늘의 영상을 함께 보아요.

DVD 적용 예화 영상(지도자용 팩)을 보여 준 후, 다음의 질문으로 이야기를 나눈다.

1 이선, 넬, 이바가 만들고 있는 로켓은 어떻게 될 것 같나요?

2 자기 생각대로만 하려고 하지 않고 힘을 합쳐 로켓을 만든다면 더 좋은 결과가 나올까요?

3 오늘날 그리스도인들을 갈라놓는 것에는 어떤 것들이 있을까요?

4 어떻게 하면 교회가 예수님 안에서 하나가 될 수 있을까요?

성경은 우리가 그리스도 안에서 하나가 되어야 한다고 말해요. 모든 일에 생각이 같을 수는 없겠지만 그래도 생각이 다른 사람을 대하는 방식은 달라져야겠지요. 예수님을 왕으로 모시는 우리는 가장 중요한 것을 위해 하나가 될 줄 알아야 해요. 예수님의 복음을 위해서 말이에요.

가스펠 소그룹

10~20분

나침반

믿는 믿음 안에서

[준비물] 1단원 암송(110쪽), 화이트보드, 보드마커, 지우개

① 화이트보드에 1단원 암송 구절을 적는다.

② 성경 구절을 함께 읽고, 모르는 단어가 있는지 아이들에게 물어본다.

③ 단어 설명을 한 후, 다시 한목소리로 읽게 한다.

④ 성경 구절을 한 어절씩 지우며 읽기를 반복한다.

⑤ 성경 구절을 모두 지운 후, 자원하는 아이에게 외워 보게 한다.

— 이 성경 구절을 보면 예수님을 믿는다고 모두 똑같은 사람이 되는 것은 아니라는 점을 알 수 있어요. 예수님은 우리에게 새 생명을 주셨고, 그 결과 예수님 안에서 하나가 되어 하나님을 영화롭게 하고 복음의 진리를 전하는 새로운 모습으로 살게 되었어요. 예수님을 믿는 믿음으로 살아가는 우리가 되길 바라요.

보물 지도

바울이 전한 말

[준비물] 학생용 교재 12쪽, 81쪽 '말씀 스티커', 연필이나 색연필

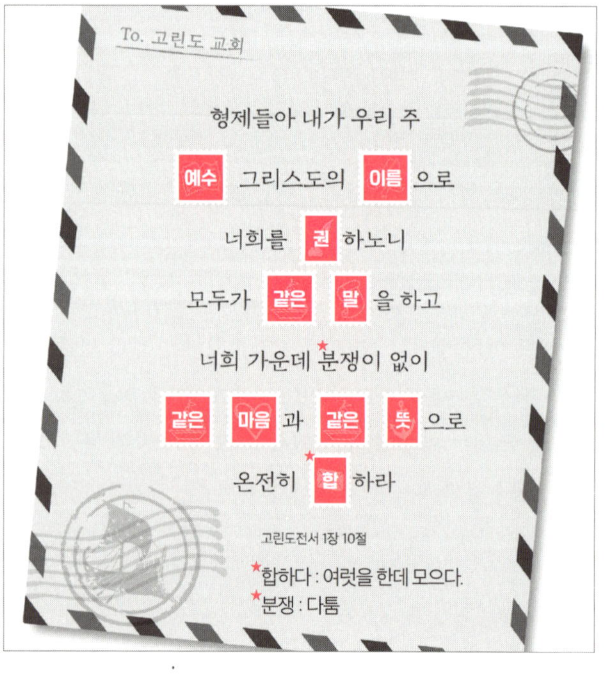

① 바울이 고린도 성도들에게 어떤 말을 전했는지 물어본다.

② 81쪽의 '말씀 스티커'를 붙여 고린도전서 1장 10절을 완성해 보라고 한다.

— 우리는 많은 부분이 달라요. 하지만 서로 다르다고 편을 갈라서는 안 돼요. 예수님을 믿는 사람은 모두 그리스도의 몸의 일부분이에요. 서로 다르지만 복음으로 하나가 되어요. 복음은 우리가 얼마나 똑같은지 깨닫게 해 주거든요. **바울은 그리스도인은 예수님을 믿는 믿음으로 하나가 되어야 한다고 말했어요.** 예수님을 믿고 하나님의 자녀가 된 우리는 하나님께 사랑받는 한 가족이에요.

탐험하기

우리는 하나

[준비물] 학생용 교재 13쪽, 81쪽 '지구 스티커', 연필이나 색연필

① 우리는 무엇으로 하나가 되어야 하는지 물어본다.

② 81쪽의 '지구 스티커'를 떼어 알맞은 위치에 붙이고, 찾은 글자들을 빈칸에 넣어 문장을 완성하게 한다.

— 바울이 고린도 성도들에게 예수님의 복음으로 하나가 되라고 말했어요. 죄인을 구원하는 분은 예수님이시라는 사

실을 강조했지요. 예수님과 예수님이 하신 일 덕분에 그리스도인들은 겸손하게 한 몸이 될 수 있어요.

2인 3각 달리기 *

[준비물] 끈 또는 스카프

① 2명씩 짝을 짓고, 나란히 서게 한다.

② 각 팀에 끈을 하나씩 주고, 서로 맞닿은 다리를 묶으라고 한다.

③ 다리를 묶고 달리는 연습을 할 시간을 준다.

④ 2팀씩 '2인 3각' 달리기를 해 가장 빠른 팀을 가린다.

— 다른 사람과 협동하는 것은 어려운 일이에요. 일을 잘 해내기 위해서는 대화하며 서로 힘을 합쳐야 하지요. 교회에는 서로 다른 많은 사람이 있어요. 항상 생각이 같을 수가 없지요. 하지만 복음에 집중하면 예수님 안에서 하나가 될 수 있어요. **바울은 그리스도인은 예수님을 믿는 믿음으로 하나가 되어야 한다고 말했어요.**

세 단어의 공통점은? *

[준비물] 색인 카드, 펜

① 색인 카드에 단어를 3개씩 묶어서 적어 둔다.

예) · 사과, 바나나, 복숭아 (과일)

· 정지 신호, 토마토, 피 (빨간색)

· 도시, 도마뱀, 도레미 ('도'로 시작하는 단어)

· 탑, 밥, 삽 ('비읍'으로 끝나는 1음절 단어)

② 아이들을 3명씩 팀을 나눈다.

③ 인도자가 단어 묶음을 읽으면, 팀별로 세 단어의 공통점이 무엇인지 맞히게 한다.

— 각 묶음에는 세 단어를 하나로 묶는 공통점이 있었어요. 여러분의 임무는 그 공통점이 무엇인지 찾는 것이었고요! 그런데 그리스도인을 하나로 묶는 것은 무엇일까요? 하나님이 말씀으로 알려 주셨어요. **바울은 그리스도인은 예수님을 믿는 믿음으로 하나가 되어야 한다고 말했어요.** 우리의 생각이 서로 달라도 가장 중요한 것을 위해 하나가 되어 힘을 합칠 수 있다는 뜻이에요. 바로 복음을 전하는 일을 위해서 말이에요.

보물 상자

나만의 기록장

[준비물] 학생용 교재 14쪽, 연필이나 색연필

성경 이야기를 통해 알게 된 것을 글이나 그림으로 표현해 보라고 한다.

· 이 성경 이야기는 하나님이나 복음에 대해 무엇을 말하고 있나요?

· 이 성경 이야기를 통해 나에 대해 알게 된 사실은 무엇인가요?

· 이 성경 이야기를 통해 깨달은 하나님의 마음은 무엇인가요?

메시지 카드

이번 주 메시지 카드로 부모님과 함께 오늘 배운 성경 이야기를 나누어 보라고 한다.

기도

하나님, 예수님을 믿고 의지하는 사람을 구원해 주셔서 감사합니다. 우리가 예수님 안에서 하나가 되어 아름다운 교회를 만들어 갈 수 있도록 도와주세요. 서로 사랑하며 그리스도 안에서 한 몸을 이루는 우리가 되게 해 주세요. 예수님의 이름으로 기도합니다. 아멘.

3

교회 안에 차별이 생겼어요

약 2:1~13

단원 암송

내가 그리스도와 함께 십자가에 못 박혔나니 그런즉 이제는 내가 사는 것이 아니요 오직 내 안에 그리스도께서 사시는 것이라 이제 내가 육체 가운데 사는 것은 나를 사랑하사 나를 위하여 자기 자신을 버리신 하나님의 아들을 믿는 믿음 안에서 사는 것이라(갈 2:20).

성경의 초점

하나님은 왜 우리가 순종하기를 바라시나요? 하나님의 사랑에 대한 우리의 응답이 순종이기 때문이에요.

본문 속으로

예수님이 이 땅에서 사역하실 때, 많은 유대인이 예수님이 그리스도이며 하나님의 아들이시라는 사실을 믿지 않았습니다. 예수님의 형제 야고보도 그중 하나였습니다. 그러나 십자가에 못 박히고 부활하신 예수님은 야고보에게 나타나셨습니다. 마침내 야고보도 예수님이 하나님의 아들이시라는 사실을 믿게 되었습니다. 훗날 야고보는 예루살렘 교회의 지도자가 되어 초대교회에서 중요한 역할을 감당했습니다.

초대교회의 성도는 대부분 유대인이었습니다. 이는 교회가 이스라엘에 있었다는 점에서 당연해 보이기도 합니다. 또한 이는 유대에서 시작해 온 세상으로 퍼져 나가라 하신 예수님의 사명이 나온 배경이기도 합니다. 야고보는 여러 지역에 흩어진 유대인 성도들에게 편지를 썼습니다. 야고보는 그들이 예수님을 믿는 믿음 안에서 어떻게 살아야 하는지 이해할 수 있도록 도와주었습니다.

야고보는 복음대로 사는 한 가지 방법은 사람을 차별하지 않는 것이라고 말했습니다. 그는 부유한 사람과 가난한 사람을 차별하는 교회의 모습을 예로 들어 설명했습니다. 부유한 사람을 더 잘 대하는 것이 사람들의 자연스러운 반응입니다. 그러나 야고보는 하나님은 차별하는 분이 아니시라고 말했습니다. 하나님은 부유하든 가난하든 모든 사람을 똑같이 대하십니다. 복음으로 너그럽게 대하시지요. 이와 같이 하나님의 친절을 경험한 우리도 모든 사람을 사랑과 너그러움으로 평등하게 대하는 것이 마땅합니다.

●● 티칭 포인트

이번 과는 지난 과의 내용과 잘 이어집니다. 아마 몇몇 아이들은 하나가 된다는 것을 그저 다른 사람과 잘 지내고 다투지 않는 정도로만 생각할 것입니다. 하지만 하나님은 우리가 사람들과 더 깊은 관계를 맺으며 하나 되기를 바라십니다. 복음을 믿는 사람이라면 예수님이 우리에게 보여 주신 것과 같은 사랑과 긍휼과 은혜로 서로를 대해야 한다는 사실을 아이들에게 알려 주십시오.

주 제

야고보는 예수님이 우리를 긍휼히 여기셨듯이 우리도 다른 사람을 긍휼히 여겨야 한다고 말했어요.

가스펠 링크

예수님이 우리를 긍휼히 여기셨기 때문에 우리도 다른 사람을 긍휼히 여겨야 해요.

교회 안에 차별이 생겼어요 약 2:1~13

초대교회에는 지도자들이 많았어요. 지도자들은 성도들을 가르치고, 그들이 계속해서 예수님을 따를 수 있도록 격려해 주었어요. 또 성도들이 죄를 지을 때는 바로잡아 주었지요. 예수님의 형제, 곧 마리아와 요셉의 아들인 야고보도 이런 지도자 중 한 사람이었어요.

야고보는 예루살렘 교회의 지도자였어요. 그는 여러 지역에 흩어진 유대인 성도들에게 편지를 보내 그리스도인이 어떻게 살아야 하는지 알려 주었어요. 예수님을 믿는 사람은 선하고 옳은 행동으로 자신이 진정으로 예수님을 믿는다는 사실을 보여 준다고 했지요. 야고보는 차별하지 않는 것도 옳은 행동이라고 가르쳤어요. 차별하지 않는다는 것은 모든 사람을 똑같이 대한다는 뜻이에요. 그 누구도 더 중요하거나 덜 중요한 사람은 없기 때문이에요.

야고보가 말했어요. "여러분이 모여 있는 곳에 금반지를 끼고 화려한 옷을 입은 사람이 왔다고 생각해 봅시다. 그리고 낡고 더러운 옷을 입은 가난한 사람도 왔습니다. 이때 화려한 옷을 입은 사람에게는 관심을 보이며 앉을 곳을 내어 주고, 가난한 사람에게는 '저쪽에 서 있으시오'라고 하거나 '바닥에 앉으시오'라고 말한다면, 이것이 옳은 행동입니까? 그렇게 한다면 여러분은 가난한 사람을 차별한 것입니다."

야고보는 하나님은 차별하는 분이 아니시라고 말했어요. 하나님은 부자를 가난한 사람보다 더 잘 대하거나 가난한 사람을 부자보다 더 잘 대하지 않으세요. 하나님을 사랑하는 모든 사람을 위해 하늘나라에 자리를 준비해 두셨어요. 하나님은 "네 이웃을 네 몸과 같이 사랑하라"라는 법을 우리에게 주셨어요. 누군가를 다른 사람보다 특별하게 대하는 것은 하나님의 법을 어기는 일이에요.

야고보는 성도들에게 하나님이 그들을 긍휼히 여기신 것처럼 다른 사람을 긍휼히 여기라고 말했어요. 그들은 죄인이었지만, 하나님이 아들이신 예수님을 통해 그들의 죄를 용서해 주셨으니까요. 야고보는 분명하게 말했어요. "긍휼은 심판을 이깁니다."

●● 가스펠 링크

야고보는 성도들이 가난한 자를 차별하는 잘못을 하고 있다고 말했어요. 그는 예수님이 서로 사랑하라고 명령하신 사실을 강조했어요. 예수님이 우리를 긍휼히 여기셨기 때문에 우리도 다른 사람을 긍휼히 여겨야 해요.

가스펠 준비

10~20분

환영

도착하는 아이들을 반갑게 맞이하고 헌금, 출석, QT 등을 확인하며 격려한다. 새 친구가 있다면 소개한다. 편안한 분위기에서 안부를 물으며 오늘의 말씀과 관련된 화제로 이야기를 나눈다. 아이들에게 가장 좋아하는 것이 무엇인지 물어본다. '차별하다'라는 말은 어떤 뜻인지 이야기를 나눈다. 자발적으로 대화에 참여하도록 이끈다.

예) "가장 좋아하는 것은 무엇인가요?", "왜 그것이 다른 것보다 더 좋은가요?", "'차별하다'라는 말은 어떤 뜻일까요?" 등.

— '차별하다'라는 말은 각각 차이를 두어서 구별한다는 의미예요. 여러분은 누군가를 차별하여 대하거나 차별을 경험해 본 적이 있나요? 오늘 성경 이야기에서는 차별하면 안 된다는 것을 배울 거예요.

마음 열기

한 번 더! *

[준비물] 공깃돌 5개, 간식

① 아이들에게 공깃돌을 주고, 한 명씩 '꺾기'를 하라고 한다. 자신이 잡은 공깃돌의 개수를 기억하게 한다.

② 인도자가 아이 중 한 명에게만 한 번 더 던질 기회를 주고, 먼저 잡은 공깃돌의 개수에 더하라고 한다.

③ 공깃돌을 잡은 개수가 많은 아이부터 줄을 세우고, 줄을 선 순서대로 간식을 나누어 준다.

— 제 마음대로 한 명에게 공깃돌을 잡을 기회를 한 번 더 주었어요. 다른 친구들과 다르게 대했지요. 기분이 어땠나요? 아이들의 대답을 기다린다. 맞아요. 기분이 좋을 리가 없었을 거예요. 오늘은 어떤 사람을 다른 사람과 차별하는 것을 성경이 어떻게 말하는지 배울 거예요. 함께 성경 이야기 속으로 들어가 보아요.

내가 가장 좋아하는 것은? *

[준비물] A4용지 2장, 마커, 접착테이프

① 첫 번째 종이에 'A'라고 쓰고, 2번째 종이에는 'B'라고 쓴다.

② 예배실 양쪽 벽에 종이를 하나씩 붙인다.

③ 인도자가 문장을 읽으면, 지시에 따라 A나 B로 뛰어가라고 말해 준다.

예) · 가장 좋아하는 색깔이 초록색이면 A로 뛰어가세요.
· 가장 좋아하는 음식이 피자면 B로 뛰어가세요.
· 고양이를 키우고 싶으면 A로 뛰어가세요.
· 가장 좋아하는 영화가 만화면 B로 뛰어가세요.

— 더 좋아하는 음식, 더 좋아하는 색깔, 더 좋아하는 영화가 있는 것은 괜찮아요. 하지만 사람을 편애하거나 차별하면 안 돼요. 오늘 성경 이야기에서 그 이유를 배울 거예요.

교사를 위한 기록장 이 과를 준비하면서 깨닫게 된 묵상을 정리해 보세요.

· 하나님이나 나에 대해 새롭게 알게 된 것은?

· 기억해야 할 하나님의 말씀은?

· 아이들에게 전하고 싶은 메시지는?

가스펠 설교

15~30분

들어가기

[준비물] 등산화, 배낭, 등산용 지팡이

등산화를 신고, 배낭을 메고, 등산용 지팡이를 짚으며 들어온다.

여러분, 안녕하세요! 오늘도 변함없이 산오름 등산로를 찾아 주셔서 감사합니다! 등산하러 온 사람이 누구인가는 중요하지 않아요. 저는 등산하러 온 사람이 누구든 다른 사람들과 똑같이 훈련하고 안내하는 일을 해요.

어떻게 보면 교회도 마찬가지예요. 누가 교회에 오든, 그리스도인들은 똑같이 예의를 갖추고 존중하는 자세로 그 사람을 대해야 해요. 교회의 중요한 목적 중 하나는 사람들이 예수님과 함께할 수 있도록 인도해 주는 거예요. 외모나 옷차림이 어떤지, 얼마나 돈이 많은지에 따라 사람들을 다르게 대한다면 그런 목적을 잘 이룰 수 없겠지요.

연대표

바울이 베드로의 행동을 나무랐어요

교회가 나뉘었어요

교회 안에 차별이 생겼어요

서로 사랑하라

교회 지도자들에게 권면했어요

우리는 하나님의 자녀예요

지난주에 고린도 교회에 관해 배웠어요. 고린도 성도들은 생각이 다르다는 이유로 서로 다투고 편을 갈랐어요. **바울은 그리스도인은 예수님을 믿는 믿음으로 하나가 되어야 한다고 말했어요.** 복음은 우리를 하나 되게 해요. 이번 주에는 교회가 겪었던 또 다른 문제에 관해 들을 거예요. 누군가를 다른 사람과 차별하는 것을 하나님은 어떻게 생각하시는지 알아볼 거예요. 연대표에서 오늘의 성경 이야기를 가리킨다. 오늘의 성경 이야기는 "교회 안에 차별이 생겼어요"랍니다.

성경의 초점

지금까지 우리를 사랑하시는 하나님이 모든 사람을 구원하려고 예수님을 보내셨다는 사실을 배웠어요. 하나님께 구원받은 사람들의 삶은 변해요. 하나님을 경외하며 하나님의 말씀을 따르게 되지요. **하나님은 왜 우리가 순종하기를 바라시나요? 하나님의 사랑에 대한 우리의 응답이 순종이기 때문이에요.**

성경 이야기

DVD 야고보서 2장 1~13절을 펴고, 설교 영상(지도자용 팩)을 보여 주거나 이야기 성경을 들려준다. 화이트보드를 이용해 그림을 그리며 성경 이야기를 전한다. 또는 자원하는 아이나 교사에게 화려한 옷과 낡고 평범한 옷을 입히고 부자와 가난한 사람 역할을 해 보게 한다.

화려한 옷을 입은 사람과 낡은 옷을 입은 사람이 예배실로 들어온다고 상상해 보세요. 여러분은 두 사람을 어떻게 대할 것인가요? 같은 마음으로 그들을 맞이할 수 있나요? 아이들의 대답을 기다린다. 여기서 우리가 기억해야 할 것이 있어요. 누군가를 중요하게 여기거나 혹은 중요하게 여기지 않는 우리의 생각이 그 사람을 바라보는 하나님의 생각을 바꾸지는 못한다는 사실이에요. 하나님은 우리 모두를 사랑하시고, 귀하게 여기세요. 우리를 하나님의 형상으로 지으셨기 때문이에요. 야고보는 만약 교회가 가난한 사람보다 부자를 더 특별하게 대한다면 잘못하는 것이라고 말했어요. 하나님은 우리의 겉모습이나 행동을 보고 하나님의 자비와 사랑을 베풀 것인지 결정하지 않으세요. 있는 그대로 우리를 사랑해 주세요. 우리는 모두 죄인이에요. 죄는 우리를 하나님에게서 멀어지게 해요. 우리가 아무리 노력해도 구원을 얻을 수 없어요. 하지만 하나님은 구원을 선물로 주셨어요. 예수님의 죽음과 부활을 통해서 말이에요. 예수님은 우리가 영원히 하나님과 함께 살 수 있게 하려고 우리가 받을 벌을 대신 받으셨어요. **야고보는 예수님이 우리를 긍휼히 여기셨듯이 우리도 다른 사람을 긍휼히 여겨야 한다고 말했어요.**

가스펠 링크

야고보는 성도들이 가난한 자를 차별하는 잘못을 하고 있다고 말했어요. 그는 예수님이 서로 사랑하라고 명령하신 사실을 강조했어요. 예수님이 우리를 긍휼히 여기셨기 때문에 우리도 다른 사람을 긍휼히 여겨야 해요.

DVD

찬양

주의 교회

차별하지 않는 것 주께 감사하는 것
편 가르지 않는 것 서로를 감싸 주는 것
이것이 주의 교회

차별하지 않는 것 범사에 감사하는 것
이기심을 버리고 서로를 사랑하는 것
이것이 주의 자녀

순종해 주 말씀 따라 살기로
순종해 끝까지 사랑하기로
순종해 주님이 사랑하시듯
아껴 주며 서로 이해하는
우린 주의 자녀.

DVD

복음 초청

성경과 21쪽 복음 초청 가이드를 이용해서 아이들에게 그리스도인이 되는 법을 설명해 준다. 따로 상담해 줄 사람을 정해 주고 궁금한 점이 있으면 물어보도록 격려한다.

이 시간 예수님을 마음에 모시고 싶은 친구는 함께 기도해요.

기도

하나님, 우리를 차별 없이 사랑해 주시는 하나님을 찬양합니다. 때로는 하나님이 사랑하시는 사람을 차별했던 것을 고백합니다. 우리의 잘못된 마음과 행동을 용서해 주세요. 우리에게 값없이 베풀어 주신 하나님의 사랑을 기억하며 다른 사람을 사랑할 수 있도록 도와주세요. 예수님의 이름으로 기도합니다. 아멘.

적용

TIP 설교 도입이나 적용으로 활용하거나 영상을 본 뒤 소그룹으로 나누어 풍성한 대화를 이어 갈 수 있습니다.

혹시 다른 사람보다 더 좋은 대접을 받은 적이 있나요? 반대로 더 나쁜 대접을 받은 적이 있나요? 그 경험을 떠올리며 오늘의 영상을 함께 보아요.

DVD 적용 예화 영상(지도자용 팩)을 보여 준 후, 다음의 질문으로 이야기를 나눈다.

1 차별은 어떤 모습으로 나타날까요?

2 세상에서 차별을 하는 사람은 누구인가요?

3 차별이 하나님의 영광을 가리는 이유는 무엇인가요?

예수님이 다시 오셔서 세상의 모든 죄를 없애기 전까지 우리가 사는 이 세상에는 항상 차별이 있을 거예요. 하지만 교회에 오는 사람들이 차별을 받거나 성도들이 차별하는 모습을 보는 일은 없어야 해요.

차별하지 않는 것은 힘들어요! 어디든 나와 잘 맞지 않는 사람이 있지요. 어떤 사람은 나에게 나쁘게 굴기도 하고요. 그래도 하나님은 우리가 생각이 다르거나 우리에게 나쁘게 구는 사람을 사랑하고 존중하기를 바라세요. 힘들더라도 예수님이 우리에게 사랑을 베푸신 것처럼 우리도 사랑을 베풀기를 바라시지요.

가스펠 소그룹

10~20분

나침반

내가 그리스도와 함께

[준비물] 학생용 교재 18쪽, 연필이나 색연필

① 아이들에게 갈라디아서 2장 20절을 읽고 질문에 답해 보라고 한다.

② 밑줄을 그은 곳에 자신의 이름을 넣어 읽어 보라고 한다.

> 내가 그리스도와 함께 십자가에 못 박혔나니
> 그런즉 이제는 내가 사는 것이 아니요
> 오직 내 안에 그리스도께서 사시는 것이라
> 이제 내가 육체 가운데 사는 것은
> 나를 사랑하사 나를 위하여 자기 자신을 버리신
> 하나님의 아들을 믿는 믿음 안에서 사는 것이라
>
> 갈라디아서 2장 20절

1. 나를 뜻하는 단어에 밑줄을 그어 보세요.
2. '내' 또는 '나'는 누구를 말하나요? 바울
3. 바울은 누구와 함께 십자가에 못 박혔나요? 그리스도
4. 바울은 자신 안에 누가 산다고 말했나요? 그리스도
5. 이제 육체 가운데 사는 것은 무엇 안에서 사는 것이라고 했나요? 믿음
6. 바울이 말한 믿음을 물결표로 표시해 보세요.

— 이 성경 구절을 보면 죄로 물든 우리의 옛사람이 죽었다는 것을 알 수 있어요. 우리 생명은 이제 예수님에게 있고, 누구도 빼앗을 수 없어요. 정말 좋은 소식이지요! 우리가 하나님을 찬양하고 하나님께 순종하는 것은 하나님이 우리를 사랑하셔서 우리의 옛 삶을 새로운 삶으로 바꾸어 주시기 때문이에요.

보물 지도

우리 팀 점수가 더 높아!

[준비물] 간식

① 아이들을 2팀으로 나누고, 팀별로 한 문제씩 맞히게 한다.

② 정답을 맞히면 1점씩 주고, 틀리면 상대 팀에게 정답을 맞힐 기회를 준다.

1 야고보는 어느 교회의 지도자였나요? 예루살렘 교회

2 야고보는 멀리 있는 성도들과 어떻게 연락을 주고받았나요? 편지를 써서

3 야고보는 그리스도인이 무엇을 하면 안 된다고 말했나요? 차별 (약 2:1)

4 성경은 우리가 다른 사람을 어떻게 대해야 한다고 말하나요? "네 이웃 사랑하기를 네 몸과 같이 하라" (약 2:8)

5 우리를 불쌍하게 여기시는 하나님은 어떤 일을 하셨나요? 예수님을 통해 우리를 용서하시고 죄에서 구원하셨다

6 차별하지 않는 분은 누구인가요? 하나님

7 하나님은 왜 우리가 순종하기를 바라시나요?

하나님의 사랑에 대한 우리의 응답이 순종이기 때문이에요.

③ 어느 팀이 더 많은 점수를 얻었는지 확인한다. 점수에 상관없이 모든 팀에 상을 준다.

④ 점수에 상관없이 상을 받으니 기분이 어떤지 물어본다.

— 어떻게 보면 불공평하게 느꼈을 거예요. 분명히 한 팀이 더 많은 점수를 얻었는데 모두에게 상을 주었으니 말이에요. 하지만 바로 이것이 하나님이 우리를 대하시는 모습이에요! 우리의 노력으로는 하나님의 사랑을 얻을 수 없어요. 하나님이 그냥 주시는 것이지요. 하나님은 차별하지 않으세요. 우리 모두를 사랑하세요.

탐험하기

야고보가 쓴 편지

[준비물] 학생용 교재 19쪽, 연필이나 색연필

① 야고보가 다른 지역으로 흩어진 그리스도인들에게 편지를 썼다고 말해 준다.

② 야고보서 2장 1~13절을 읽고 야고보가 어떤 말을 했는지 말풍선을 채워 보라고 한다.

③ 아래 질문에 답하게 하고, 하나님은 차별하지 않으시며 모두를 사랑하신다는 사실을 말해 준다.

예시

— 우리는 겉모습만 보고 사람을 차별할 때가 있어요. 하지만 그것은 하나님 안에서 옳지 않은 행동이에요. **야고보는 예수님이 우리를 긍휼히 여기셨듯이 우리도 다른 사람을 긍휼히 여겨야 한다고 말했어요.** 예수님이 우리에게 새 삶을 주셨기 때문에, 우리는 하나님께 순종하고 다른 사람을 차별하지 않아야 해요.

어떻게 해야 할까? *

[준비물] 색인 카드, 사인펜

① 특별한 상황이 담긴 문장을 색인 카드에 각각 적어 둔다.

② 아이들에게 문장을 하나씩 읽어 주고, 각 상황에서 하나님께 순종하려면 어떻게 행동해야 할지 이야기를 나눈다.

- 수업 시간에 친구와 이야기하다가 선생님에게 들켰어요. 선생님이 친구에게는 조용히 하라고만 하시고, 나에게는 벌을 주셨어요.
- 새 친구가 전학을 왔어요. 그 아이의 옷은 낡았고, 약간 냄새도 나는 것 같아요. 그 아이가 점심시간에 내 옆에 앉아도 되는지 물어요.
- 같은 잘못을 해도 동생은 혼이 안 나는데 나만 혼이 나요.

— 이런 상황에 놓인다면 정말 힘들 것 같아요. 차별하지 않고 하나님께 순종하는 일은 참 어려워요. 하지만 우리는 우리가 예수님을 믿을 때 예수님이 새로운 삶을 주신다는 사실을 알고 있어요. **야고보는 예수님이 우리를 긍휼히 여기셨듯이 우리도 다른 사람을 긍휼히 여겨야 한다고 말했어요.**

부자처럼 화려하게! *

[준비물] 자주색 가운, 장난감 보석, 플라스틱 왕관

① 아이들에게 '왕 게임' 규칙을 설명해 준다.

② 모든 아이는 '거지' 계급에서 시작하며, 같은 계급끼리 가위바위보를 해서 이기면 한 단계 위에 있는 계급으로 올라갈 수 있다고 말해 준다. (계급 : 거지→신하→왕자→왕)

③ 가위바위보에서 진 아이는 '거지' 계급으로 내려간다고 말해 준다.

④ '왕'까지 올라온 아이는 인도자와 가위바위보를 해서 이기면 승리한다.

⑤ 승리한 아이에게 가운을 입히고 왕관을 씌워 준다.

— 화려한 옷을 입은 사람을 특별한 사람처럼 대할 때가 있어요. 다른 사람을 친절하게 대하는 것은 좋은 일이에요. 하지만 화려한 옷을 입었다고 특별히 더 친절하게 대하는 것은 하나님이 기뻐하시는 일이 아니에요. 겉모습이 아닌 그 사람 자체로 사랑해야 해요. **하나님은 왜 우리가 순종하기를 바라시나요? 하나님의 사랑에 대한 우리의 응답이 순종이기 때문이에요.**

부자와 가난한 자가 향하는 곳 *

[준비물] 윷, 윷놀이 판, 말(금색, 갈색), 사인펜

① 윷놀이 판 한 곳에 '교회' 그림을 그리고, 윷 하나의 뒷면에는 하트 모양을 그려 둔다.

② 아이들을 '부자' 팀과 '거지' 팀으로 나눈다. 부자 팀에는 금색 말을, 거지 팀에는 갈색 말을 준다.

③ 팀별로 번갈아 윷을 던지며 윷놀이를 한다.

④ 하트 그림만 나오게 윷을 던졌을 경우, 한 번 더 던지게 한다.

⑤ 도착 지점과 상관없이 교회 그림이 있는 곳에 말을 놓는 팀이 승리한다.

— 세상은 눈에 보이는 것으로 사람을 판단하고 차별하지만, 하나님은 그렇게 하지 않으세요. 하나님은 모두를 사랑하세요. 그래서 우리도 다른 사람들을 차별하면 안 돼요.

모든 사람을 교회로 초청하고, 모든 사람에게 자비를 베풀어야 해요. 예수님처럼 모든 사람에게 사랑을 베푸는 우리가 되기를 기도해요!

보물 상자

나만의 기록장

[준비물] 학생용 교재 20쪽, 연필이나 색연필

성경 이야기를 통해 알게 된 것을 글이나 그림으로 표현해 보라고 한다.

· 이 성경 이야기는 하나님이나 복음에 대해 무엇을 말하고 있나요?

· 이 성경 이야기를 통해 나에 대해 알게 된 사실은 무엇인가요?

· 이 성경 이야기를 통해 깨달은 하나님의 마음은 무엇인가요?

메시지 카드

이번 주 메시지 카드로 부모님과 함께 오늘 배운 성경 이야기를 나누어 보라고 한다.

기도

하나님, 사람들을 차별하면 안 된다는 것을 배웠습니다. 눈에 보이는 것으로 사람들을 차별했던 우리의 어리석음을 고백합니다. 용서해 주세요. 예수님을 믿고 하나님의 자녀 된 우리가 예수님의 마음을 가지고 서로를 더욱 사랑하며 자비를 베풀 수 있도록 도와주세요. 예수님의 이름으로 기도합니다. 아멘.

칼럼

종의 리더십: 주일학교 사역의 숨은 노고

"형제들아 너희가 자유를 위하여 부르심을 입었으나
그러나 그 자유로 육체의 기회를 삼지 말고
오직 사랑으로 서로 종 노릇 하라"(갈 5:13).

저는 일요일 아침을 언제나 새벽 5시 30분에 시작했습니다. 침대에서 빠져나와 옷을 차려입고, 들고 갈 커피를 재빨리 내린 뒤 집을 나섰지요. 잠든 가족을 뒤로한 채 말입니다. 예배 준비팀이 도착하는 아침 7시가 되기 전에 가능한 청소와 정리를 어느 정도 마쳐 두려고 했습니다. 우리 교회는 공립 중학교에서 모였습니다. 시설은 우리 필요를 충족했지만 수천 명의 중학생이 그곳을 매일 드나들었다는 사실에는 변함이 없었기 때문에, 영유아들은 말할 것도 없고 아이들이 사용하기에 충분히 깨끗한 곳은 아니었습니다.

주일마다 우리 팀은 주차장에 있는 교회용 창고를 열고 온갖 주일학교 용품이 산더미처럼 쌓여 있는 거대한 카트를 밀며 예배를 준비합니다. 쥐가 우리 간식을 찾아내지 못했기를 바라면서 말이지요! 모든 일정이 끝나면 물건들을 다시 카트에 담아 제자리에 갖다 놓습니다. 유치부 아이가 사인펜으로 해 놓은 낙서 때문에 프로젝터용 스크린을 교체하기도 했지만, 대부분 우리는 그곳을 사용한 적이 없었던 것처럼 깨끗이 정리해 놓았습니다.

두말할 필요 없이 그것은 고된 노동이고, 가끔은 저도 그 점이 화가 났습니다. 원수는 제 머릿속에서 아무도 이 고생을 몰라준다고 속삭였습니다. '이 교회 공동체는 내가 그들의 자녀를 위해 매주 어떤 일을 하는지 알기나 하는 걸까? 우리 예배팀의 자원봉사자들은 그들이 도착하기 한 시간 전부터 내가 귀뚜라미를 쓸어 냈다는 것을 알까? 나머지 교역자들은 내가 창고에서 엄청난 상자를 들어 올리느라 허리를 삔 것을 알까?' 이런 저런 생각이 머리를 스치는 찰나에 주님은 제 마음을 붙드셨습니다. 그리고 리더십이란 팀을 구성하고, 자원봉사자들을 훈련하며, 교육 콘텐츠를 개발하는 것이 전부가 아니라고 가르치셨습니다. 그런 것들이 리더십의 일부이듯이 다른 사람의 눈에 띄지 않는 부분도 리더십의 일부라는 것입니다. 마치 다른 누군가가 하는 것이 당연한 것 같은 그런 일들 말입니다.

오스왈드 샌더스(J. Oswald Sanders)는 그의 책《영적 지도력》(Spiritual Leadership)에서 영적 리더십과 종의 리더십이 어떻게 병행되는지 설명합니다. 그는 "리더십을 갈망하는 사람들은 명예로운 일을 추구한다. 교회에는 더 적은 리더가 아니라 더 많은 리더가 필요하다. 그러나 우리에게 필요한 리더는 '권위 있고, 영적이며, 희생할 줄 아는' 리더다"라고 말합니다. 하나님 나라 중심의 리더십에는 희생이 따릅니다. 때로는 복음을 위해 고난을 받기도 합니다.

여러분에게는 어떤 일이 그런 일인지 모르겠습니다. 일의 내용은 모두 다를 것입니다. 여러분 중 누구는 수백 개의 만들기 재료를 정리하는 일을 맡았을 수도 있고, 누구는 종이컵에 간식 담는 일을, 누구는 다른 사람이 쓰던 공간을 예배 장소로 재구성하는 일을, 또 누구는 끝도 없이 복사하는 일을 맡았을 수도 있습니다. 하지만 저는 여러분께 저 자신에게 했던 말로 도전하고 싶습니다. 어린이들을 섬기는 기쁨을 도둑맞고 싶지 않다면 이런 일로 불평하지 마십시오. 한 아이가 자기 인생에서 처음으로 하나님의 음성을 듣는 곳이 될 수도 있는 공간을 위해 기도하는 기쁨을 놓치지 마십시오.

여러분이 하는 사역의 리더십은 종종 다른 사람이 보고 있지 않을 때 발휘됩니다. 그리고 이것이야말로 하나님 나라의 확장 사역을 수행하기 위해 반드시 갖추어야 하는 종의 리더십입니다. 리더십의 핵심이지요. 우리 몸이 생산할 수 없는 영양소처럼 여러분이 하는 모든 일의 DNA에 필요합니다. 아무도 보지 않을 때도 말입니다. 풍성한 주일학교 사역을 한다는 것은 아이들과 그들의 가족이 건물에 들어서기 전부터 가장 기본적인 필요가 충족되고 있는지 확인하는 것을 의미합니다.

자나 매그루더(Jana Magruder)는
라이프웨이키즈(LifeWay Kids)에서 디렉터로 섬기고 있습니다.
그는 베일러대학교(Baylor Univeristy)를 졸업하고 다양한 경험과
열정으로 주일학교와 교육, 출판 사역에 헌신하고 있습니다.

4 서로 사랑하라

요일 3:10~18

단원 암송

내가 그리스도와 함께 십자가에 못 박혔나니 그런즉 이제는 내가 사는 것이 아니요 오직 내 안에 그리스도께서 사시는 것이라 이제 내가 육체 가운데 사는 것은 나를 사랑하사 나를 위하여 자기 자신을 버리신 하나님의 아들을 믿는 믿음 안에서 사는 것이라(갈 2:20).

성경의 초점

하나님은 왜 우리가 순종하기를 바라시나요? 하나님의 사랑에 대한 우리의 응답이 순종이기 때문이에요.

본문 속으로

사도 요한은 예수님과 아주 가까운 제자였습니다. 베드로, 야고보와 함께 언제나 예수님의 곁에 있었지요. 요한은 심지어 요한복음에서 자신을 "예수님이 사랑하시는 자"라고 표현했습니다. 그렇기에 예수님이 승천하신 지 50년이 지난 후 요한이 성도들에게 예수님이 어떤 분이신지에 관해 편지를 쓴 것은 당연한 일입니다. 요한의 메시지에는 하나의 핵심 주제가 있습니다. 바로 '사랑'입니다.

요한은 하나님은 사랑이시며, 성도들이 정말로 하나님을 사랑한다면 서로 사랑하게 된다고 적었습니다. 서로를 향한 사랑은 예수님이 우리를 위해 하신 것처럼 상대방을 위해 기꺼이 목숨을 내어줄 수 있을 만큼 깊고 진실해야 합니다. 이렇게 깊고 진실한 사랑을 통해 세상은 복음의 참 모습을 알게 됩니다.

오늘날 사랑에 관한 이야기 가운데 많은 것들이 사랑의 진정한 의미를 왜곡합니다. 이러한 문화적 분위기 속에서 아이들은 어떤 식으로든 영향을 받고 있습니다. 아마도 아이들은 사랑을 단순한 감정이나 일시적인 것, 또는 노력으로 얻어야 하는 것쯤으로 생각하고 있을지도 모릅니다.

●● 티칭 포인트

이번 과는 아이들에게 세상이 말하는 사랑에 관한 거짓된 통념을 들추어내는 동시에 진실한 하나님의 사랑을 가르쳐 줄 좋은 기회가 될 것입니다. 아이들이 처한 상황을 신중하게 다루십시오. 많은 아이가 사랑받지 못한다고 느낄 수도 있습니다. 사랑하는 사람에게 상처를 받았을지도 모릅니다. 다른 사람의 사랑을 얻으려고 노력하는 중일 수도 있습니다. 이런 상황에 대처할 수 있도록 준비하십시오.
아이들을 향한 예수님의 사랑은 무조건적이고 영원하다는 점을 강조하십시오. 예수님의 사랑은 단순한 감정이 아닙니다. 예수님은 우리를 죄에서 구하기 위해 십자가에서 죽으심으로써 우리를 향한 하나님의 사랑을 증명하셨습니다. 하나님이 우리를 먼저 사랑하셨기 때문에 우리도 다른 사람을 사랑할 수 있습니다.

주 제

요한은 그리스도인이 서로 사랑하는 모습을 통해 사람들에게 하나님의 사랑을 보여 줄 수 있다고 말했어요.

가스펠 링크

예수님은 우리를 죄에서 구하기 위해 십자가에서 죽으심으로 우리를 향한 하나님의 사랑을 보여 주셨어요.

서로 사랑하라 요일 3:10~18

예수님의 제자였던 사도 요한은 예수님과 아주 가까웠어요. 예수님의 삶과 가르침을 직접 경험했지요. 예수님이 하늘로 올라가신 지 50년이 지났어요. 요한도 이제 노인이 되었어요. 그는 예수님이 어떤 분이신지 잘 알고 있었어요. 그래서 예수님이 하나님의 아들이시라는 사실을 성도들이 이해할 수 있도록 편지를 썼어요.

요한은 하나님은 사랑이시라는 것을 보여 주었어요. 하나님을 진심으로 사랑하는 그리스도인이라면 서로 사랑할 것이며, 그 사랑은 그리스도인의 말과 행동을 통해 나타난다고 말했지요. 요한은 하나님의 자녀는 하나님의 자녀가 아닌 사람과 다른 방식으로 살아간다고 말했어요. 그리스도인은 옳은 일을 하고 서로 사랑해요. 이것은 새로운 가르침이 아니에요. 예수님도 우리에게 서로 사랑하라고 말씀하셨어요. 요한은 사람들이 우리가 서로 사랑하는 모습을 보고 우리가 그리스도인인 것을 알게 될 것이라고 말했어요.

요한은 가인과 아벨 이야기를 들려주었어요. 가인은 왜 아벨을 죽였나요? 자신은 악하게 행동했고, 동생은 의롭게 행동했기 때문이에요. 가인은 아벨을 미워했어요. 요한은 다른 사람을 사랑하지 않는 사람은 하나님 앞에서 죽은 자와 같다고 말했어요. 하나님은 모든 그리스도인을 죽음에서 자유롭게 하셨어요. 하나님이 우리를 사랑하시고 생명을 주셨기 때문에 우리는 서로 사랑할 수 있어요.

우리는 사랑이 무엇인지 알 수 있어요. 예수님이 우리에게 사랑을 보여 주셨기 때문이에요. 예수님은 우리를 위해 자기 생명을 내어 주셨어요. 예수님의 능력으로 말미암아 우리도 서로 사랑할 수 있고 또 사랑해야 해요. 다른 형제에게 필요한 것을 가지고 있다면 나누어 줄 수 있어야 해요. 다른 사람을 도울 수 있을 만큼 충분히 가지고 있으면서도 모른 척하고 돕지 않는다면, 그가 정말 하나님의 사랑을 아는 사람일까요?

요한은 우리가 말로만 사랑하는 사람이 되어서는 안 된다고 말했어요. 행함과 진실함으로 사랑해야 해요.

●● 가스펠 링크

요한은 사랑을 보여 주는 것이 얼마나 중요한지에 관해 편지를 썼어요. 사랑은 감정이나 말에서 그치지 않아요. 사랑은 행동이에요. 예수님은 우리를 죄에서 구하기 위해 십자가에서 죽으심으로 우리를 향한 하나님의 사랑을 보여 주셨어요.

가스펠 준비

10~20분

환영

도착하는 아이들을 반갑게 맞이하고 헌금, 출석, QT 등을 확인하며 격려한다. 새 친구가 있다면 소개한다. 편안한 분위기에서 안부를 물으며 오늘의 말씀과 관련된 화제로 이야기를 나눈다. 아이들에게 자신이 사랑하는 사람들에 관해 이야기를 나누어 보라고 한다. 자발적으로 대화에 참여하도록 이끈다.

예) "사랑하는 사람이 있나요?", "왜 사랑하나요?" 등.

— 사랑이란 어떤 사람이나 존재를 몹시 아끼고 귀중하게 여기는 것이에요. 우리에게는 모두 사랑하는 존재가 있어요. 또 우리는 누군가에게 사랑을 받는 존재이기도 하지요. 오늘 성경 이야기에서는 하나님 안에서 서로 사랑하는 것에 관해 배울 거예요. 하나님 안에서 사랑한다는 것은 어떤 의미일까요?

마음 열기

사랑이란? *

[준비물] 화이트보드, 보드마커

① 화이트보드에 큰 하트를 그려 놓고, 아이들에게 '사랑'이라고 하면 떠오르는 것을 말해 보라고 한다.

② 인도자는 아이들이 말하는 내용을 적는다.

③ 사랑하는 것을 행동으로 보여 준다면 어떤 모습으로 나타낼 수 있을지 아이들과 이야기를 나눈다.

— 사랑은 상황에 따라 여러 가지 모습으로 나타날 수 있어요. 사랑의 가장 일반적인 모습은 자신의 필요보다 다른 사람의 필요를 더 중요하게 생각하는 것이지요. 과연 하나님은 그리스도인이 어떤 모습으로 서로 사랑하기를 바라시는지 성경 이야기를 통해 좀 더 자세히 알아보아요.

내가 사랑하는 사람은? *

[준비물] 종이, 색연필

① 아이들에게 종이와 색연필을 나누어 주고, 자신이 사랑하는 사람과 자신의 모습을 그림으로 그리라고 한다.

② 그림 속 사람들이 서로 사랑하는 사이라는 것을 알 수 있도록 다양하게 표현해 보라고 한다.

— 어떤 사람은 사랑하기가 쉬워요. 친구나 가족이 그렇지요. 하지만 학교에서 날 괴롭히거나 나와 의견이 잘 맞지 않는 친구는 사랑하기 어려워요. 하나님은 그리스도인에게 모든 사람을 사랑하라고 말씀하세요. 모든 사람을 사랑하는 것은 어떤 모습인지, 우리는 어떻게 하나님이 주신 이 명령을 지킬 수 있는지 함께 배워 보아요.

교사를 위한 기록장 이 과를 준비하면서 깨닫게 된 묵상을 정리해 보세요.

·하나님이나 나에 대해 새롭게 알게 된 것은?

·기억해야 할 하나님의 말씀은?

·아이들에게 전하고 싶은 메시지는?

가스펠 설교

15~30분

들어가기

[준비물] 등산화, 배낭, 등산용 지팡이

등산화를 신고, 배낭을 메고, 지팡이를 짚으며 들어온다.

여러분, 안녕하세요! 산오름 등산로에 다시 오신 것을 환영합니다. 사실 제가 맡은 가장 큰 역할은 등산하는 동안 사람들이 사이좋게 지내고 서로에게 사랑을 베풀게 하는 거예요. 산을 오르다 보면 힘들고 지쳐서 다른 사람에게 무뚝뚝하거나 불친절하게 대하기가 쉬워요. 그래서 저는 사람들의 마음이 차분해지도록 도와주고, 산을 오르는 길이 무척 위험한 만큼 서로 화를 내느라 팀 분위기를 망치면 안 된다고 주의를 주기도 한답니다. 가장 성공적인 팀은 서로 사랑하고 믿는 팀이에요.

그러고 보니 성경 이야기가 하나 떠오르네요. 혹시 시간이 있다면 여러분에게 이 이야기를 들려주고 싶어요.

연대표

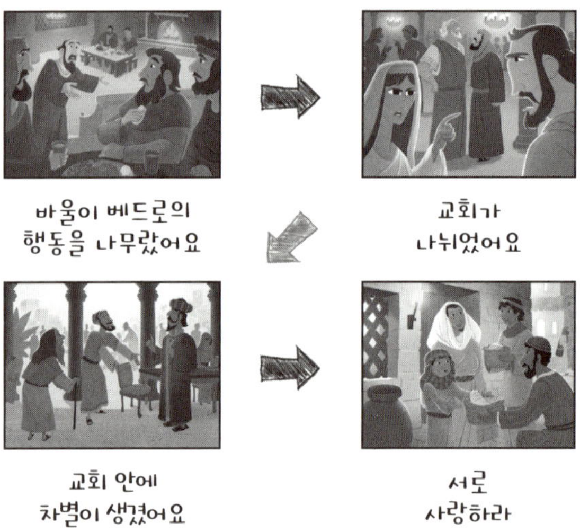

우리는 그동안 그리스도인들이 하나님의 영광을 위해 새로운 삶을 살 수 있도록 하나님이 교회에 주신 많은 명령을 살펴보았어요. 혹시 지난 시간까지 배운 주제를 기억하는 사람 있나요? 아이들의 대답을 기다린다. 정말 잘했어요! 첫째 주에 **바울은 오직 예수님을 믿는 믿음으로 구원받는다고 말했어요.** 둘째 주에 **바울은 그리스도인은 예수님을 믿는 믿음으로 하나가 되어야 한다고 말했다**는 것을 배웠어요. 지난주에는 **야고보는 예수님이 우리를 긍휼히 여기셨듯이 우리도 다른 사람을 긍휼히 여겨야 한다고 말했어요.** 이 권면은 모두 하나님이 주신 거예요. 하나님이 주신 영감으로 쓴 편지이기 때문이지요. 연대표에서 오늘의 성경 이야기를 가리킨다. 이번 주 성경 이야기의 제목은 "서로 사랑하라"랍니다.

성경의 초점

오늘의 성경 이야기는 '성경의 초점'과 정말 잘 맞아떨어져요. 1단원 '성경의 초점'의 질문을 기억하나요? **하나님은 왜 우리가 순종하기를 바라시나요?** 답은 무엇이었나요? **하나님의 사랑에 대한 우리의 응답이 순종이기 때문이에요.** 오늘은 한 사도가 쓴 글을 통해 하나님이 그리스도인에게 주신 또 다른 명령을 알아볼 거예요. 사도란 그리스도인에게 말씀을 가르치도록 하나님이 보내신 지도자를 말해요. 오늘 성경 이야기에 나오는 사도는 요한이에요. 요한은 예수님이 이 땅에 계실 때 가장 가깝게 지낸 제자 중 한 사람이었어요. 그는 요한복음 외에 요한일서, 요한이서, 요한삼서, 요한계시록을 썼지요. 오늘 성경 이야기는 요한일서에 나와요.

성경 이야기

DVD 요한일서 3장 10~18절을 펴고, 설교 영상(지도자용 팩)을 보여 주거나 이야기 성경을 들려준다. 아이들에게 손으로 하트 모양을 만들어 보라고 한다. 성경 이야기에서 '사랑'이라는 단어가 나오면 '손 하트'를 만들라고 한다. 또는 성경 이야기를 하는 동안 서거나 앉거나 예배실을 돌아다니며 아이들의 주의를 끈다.

예수님이 죽은 자 가운데서 살아나시고 하늘로 올라가신 후, 아직 교회가 생긴 지 얼마 되지 않았을 때 예수님의 제자 요한이 에베소로 갔어요. 그곳에서 교회를 이끄는 일을 도왔지요. 요한은 하나님이 원하시는 그리스도인의 삶은 어떤 모습인지 가르치려고 그리스도인들에게 편지를 썼어요. 이 편지들이 바로 요한일서, 요한이서, 요한삼서예요.

요한일서에서 **요한은 그리스도인이 서로 사랑하는 모습을 통해 사람들에게 하나님의 사랑을 보여 줄 수 있다고 말했어**

요. 그는 예수님의 사랑이야말로 사랑이 무엇인지를 가장 잘 보여 준다는 것을 그리스도인들이 알기를 바랐어요. 우리를 향한 예수님의 사랑은 우리의 행동에 따라 변하지 않아요. 우리가 죄를 짓는다고 줄어들지도 않고, 우리가 순종한다고 더 커지지도 않아요. 예수님의 사랑은 영원하고 한결같아요. 우리가 그 사랑을 받을 자격이 하나도 없다 해도 말이에요. 요한은 예수님이 이 땅에 계실 때 예수님과 아주 가까운 제자였어요. 그래서 놀라운 사랑이 어떤 것인지를 누구보다 잘 알았지요. 그는 예수님이 십자가에 못 박히실 때 바로 그 자리에 있었어요. 예수님이 부활하신 빈 무덤에 가장 먼저 달려가 확인한 사람 중 한 명이기도 했어요. 예수님은 우리를 죄에서 구원하기 위해 십자가에서 죽으심으로 우리를 향한 하나님의 사랑을 보여 주셨어요.

예수님의 사랑은 그저 말뿐인 사랑이 아니에요. 예수님은 행동으로, 삶으로 사랑을 보여 주셨어요. 요한은 그리스도인의 삶도 이와 같아야 한다는 것을 사람들이 알기를 바랐어요. 그래야 우리가 하나님의 자녀인 것을 다른 사람들이 알게 될 테니까요. 오직 하나님만이 어떤 상황에서도 나보다 남을 더 중요하게 여기는 놀라운 사랑을 만들어 내실 수 있어요.

가스펠 링크

다른 사람을 사랑하는 것은 쉬운 일이 아니에요. 특히 예수님처럼 놀랍고 희생적인 모습으로 사랑하기란 더욱더 어렵지요. 하지만 하나님은 우리도 그렇게 서로 사랑하라고 말씀하세요. 하나님처럼 사랑하려면 하나님의 도움이 꼭 필요해요. 그래서 하나님이 성령님을 통해 하나님의 능력을 우리에게 주시는 거예요.

요한은 사랑을 보여 주는 것이 얼마나 중요한지에 관해 편지를 썼어요. 사랑은 감정이나 말에서 그치지 않아요. 사랑은 행동이에요. 예수님은 우리를 죄에서 구하기 위해 십자가에서 죽으심으로 우리를 향한 하나님의 사랑을 보여 주셨어요.

복음 초청

성경과 21쪽 복음 초청 가이드를 이용해서 아이들에게 그리스도인이 되는 법을 설명해 준다. 따로 상담해 줄 사람을 정해 주고 궁금한 점이 있으면 물어보도록 격려한다.

이 시간 예수님을 마음에 모시고 싶은 친구는 함께 기도해요.

기도

하나님, 하나뿐인 아들 예수님을 보내 우리를 구원해 주셔서 감사합니다. 그리고 그 구원하심으로 완전한 사랑이 무엇인지 보여 주셔서 감사합니다. 우리 삶에 하나님에게서 오는 놀라운 사랑의 표시가 나타나게 해 주세요. 하나님의 사랑을 기억하며 주변 사람들에게 사랑을 베풀 수 있도록 성령님 함께해 주세요. 예수님의 이름으로 기도합니다. 아멘.

적용

TIP 설교 도입이나 적용으로 활용하거나 영상을 본 뒤 소그룹으로 나누어 풍성한 대화를 이어 갈 수 있습니다.

"말보다 행동을 보여라"라는 말이 있어요. 이 말은 무슨 뜻일까요? 오늘의 영상을 함께 보아요.

DVD 적용 예화 영상(지도자용 팩)을 보여 준 후, 다음의 질문으로 이야기를 나눈다.

1. 넬은 사진 속의 사람이 누구인지 어떻게 알았나요?
2. 사진 속의 사람이 다른 사람과 구별되는 특징이 무엇인가요?
3. 요한은 그리스도인이 다른 사람과 구별되는 특징이 무엇이라고 말했나요?
4. 예수님처럼 놀라운 모습으로 사랑하는 것이 어려운 이유는 무엇인가요?
5. 어떻게 하면 우리도 예수님처럼 사랑을 베풀 수 있을까요?

하나님은 요한을 통해 예수님이 우리를 사랑하셨듯이 다른 사람을 사랑하라고 명령하셨어요. 쉬운 일은 아니지만, 우리 안에 성령님이 계시기 때문에 이렇게 어려운 명령에도 순종할 수 있어요. **요한은 그리스도인이 서로 사랑하는 모습을 통해 사람들에게 하나님의 사랑을 보여 줄 수 있다고 말했어요.**

가스펠 소그룹

10~20분

나침반

둘 중 하나

[준비물] 학생용 교재 24쪽, 연필이나 색연필

내가 그리스도 / 할아버지 와 함께
돌무덤 / 십자가 에 못 박혔나니
그런즉 이제는 내가 사는 / 죽는 것이 아니요
오직 내 집에 / 안에 그리스도께서 사시는 것이라
이제 내가 육체 / 영혼 가운데 사는 것은
나를 사랑하사 / 예뻐하사
나를 / 너를 위하여 자기 자신을 버리신
하나님의 아들을 믿는 믿음 / 사랑 안에서 사는 것이라
갈라디아서 2장 20절

① 두 단어 중 알맞은 것을 골라 갈라디아서 2장 20절을 완성해 보라고 한다.

② 완성한 성경 구절을 읽고 외우게 한다.

— 순종은 우리가 노력한다고 해서, 또는 우리가 착하기 때문에 할 수 있는 것이 아니에요. 하나님을 사랑하는 마음으로 순종하는 것은 오직 우리 옛사람이 죽고 예수님이 주신 새 생명으로 가득할 때 가능해요. 예수님이 우리 안에 사시기 때문에 하나님께 순종할 수 있게 되는 거예요!

보물 지도

손을 들어요! *

[준비물] 간식

① 인도자가 질문하면, 답을 아는 아이는 손을 들라고 한다.

② 손을 든 아이 중 한 명을 지목해 답을 말하게 한다.

③ 정답을 가장 많이 맞힌 아이에게 간식을 준다.

1 요한일서를 쓴 사람은 누구인가요? 요한

2 예수님은 우리를 무엇으로부터 구하셔서 우리를 향한 사랑을 보여 주셨나요? 죄

3 누가 우리를 위해 목숨을 버리셨나요? 예수님

4 요한은 그리스도인들에게 서로 어떻게 해야 한다고 말했나요? 사랑

5 하나님의 사랑에 응답하려면 어떻게 해야 하나요? 순종

— 세상은 고장이 나고 죄로 가득 차 있어요. 그래서 완전한 사랑이 그토록 놀라운 거예요. 이 세상에서 볼 수 없는 일이지요. 예수님이 십자가에서 보여 주신 것과 같은 완전한 사랑은 오직 하나님에게서 나와요. 누군가 완전한 사랑을 보여 주는 사람이 있다면 이는 그 사람이 하나님의 완전한 사랑으로 변화되었다는 뜻이에요. **요한은 그리스도인이 서로 사랑하는 모습을 통해 사람들에게 하나님의 사랑을 보여 줄 수 있다고 말했어요.**

탐험하기

내가 할 수 있는

[준비물] 학생용 교재 25쪽, 연필이나 색연필

예시

① 각 상황에서 내가 할 수 있는 사랑의 행동을 그림이나 글로 표현해 보라고 한다.

② 아이들에게 이번 과 주제를 다시 한번 되짚어 준다.

—— 다른 사람을 사랑하는 것은 쉬운 일이 아니에요. 특히 예수님처럼 놀랍고 희생적인 모습으로 사랑하기란 더욱더 어렵지요. 하지만 하나님은 우리도 그렇게 서로 사랑하라고 말씀하세요. 하나님이 우리를 그렇게 사랑하시기 때문에요. 하나님처럼 사랑하려면 하나님의 도움이 필요해요. 그래서 하나님이 성령님을 통해 하나님의 능력을 우리에게 주시는 거예요. **요한은 그리스도인이 서로 사랑하는 모습을 통해 사람들에게 하나님의 사랑을 보여 줄 수 있다고 말했어요.**

사랑의 실천표 *

[준비물] A4용지, 사인펜, 스티커

① 아이들에게 준비물을 각각 나누어 준다.

② 종이에 주일부터 토요일까지 날짜와 요일을 쓰게 하고, 스티커를 붙일 자리를 만들라고 한다.

③ 우리가 할 수 있는 사랑의 실천은 어떤 것들이 있는지 아이들과 이야기를 나눈다.

예) 위로가 필요한 친구를 안아 준다, 동생이 숙제하는 것을 도와준다, 비 오는 날 친구에게 우산을 빌려준다, 친구와 도시락을 나누어 먹는다, 운동 경기가 끝난 뒤 상대편 선수와 악수를 한다, 다른 사람에게 예수님을 전한다 등.

④ 완성한 '사랑의 실천표'를 집으로 가져가 한 주 동안 사랑을 실천하도록 독려한다.

—— 우와! 다른 사람에게 예수님의 사랑을 표현할 방법이 이렇게 많군요! 완전한 사랑은 하나님에게서 나온다는 사실을 우리는 알고 있어요. 하나님은 하나뿐인 아들 예수님을 우리에게 보내 주셨지요. 예수님은 아무 자격이 없는 우리를 위해 십자가에서 죽으심으로 완전한 사랑을 베푸셨어요. 그 사랑을 기억하며 우리도 다른 사람들에게 사랑을 베풀 수 있어요. **요한은 그리스도인이 서로 사랑하는 모습을 통해 사람들에게 하나님의 사랑을 보여 줄 수 있다고 말했어요.** 어렵다고, 할 수 없다고 생각하지 말고 우리가 받은 하나님의 사랑을 다른 사람에게 전해 보세요.

하나님 안에서 서로 사랑 *

[준비물] 전지, 물감, 쟁반, 물티슈

① 쟁반에 물감과 물을 섞어 둔다.

② 아이들에게 손도장을 찍어 하트 모양을 만들어 보라고 한다.

③ 하트의 크기는 작아도 되고 커도 된다고 말해 준다.

④ 하트를 완성하면 물티슈로 손을 닦게 한다.

⑤ 하나님 안에서 서로 사랑하며, 하나 되어야 한다는 것을 강조한다.

—— **요한은 그리스도인이 서로 사랑하는 모습을 통해 사람들에게 하나님의 사랑을 보여 줄 수 있다고 말했어요.** 우리가 사랑을 베풀 때 다른 사람들은 우리를 통해 예수님을 보게 될 거예요. 완전한 사랑은 하나님에게서 나와요. 그래서 사람들이 우리가 사랑하는 것을 보면 우리가 하나님의 능력으로 변화되었다는 것을 알게 되는 거예요.

보물 상자

나만의 기록장

[준비물] 학생용 교재 26쪽, 연필이나 색연필

성경 이야기를 통해 알게 된 것을 글이나 그림으로 표현해 보라고 한다.

· 이 성경 이야기는 하나님이나 복음에 대해 무엇을 말하고 있나요?

· 이 성경 이야기를 통해 나에 대해 알게 된 사실은 무엇인가요?

· 이 성경 이야기를 통해 깨달은 하나님의 마음은 무엇인가요?

메시지 카드

이번 주 메시지 카드로 부모님과 함께 오늘 배운 성경 이야기를 나누어 보라고 한다.

기도

하나님, 하나뿐인 아들 예수님을 통해 보여 주신 놀라운 사랑을 기억합니다. 크고 놀라운 사랑을 주신 하나님께 감사를 드립니다. 우리가 받은 그 사랑을 다른 사람에게 전해 줄 수 있도록 성령님 인도해 주세요. 예수님의 이름으로 기도합니다. 아멘.

5

교회 지도자들에게 권면했어요

딤전 4:11~16; 딤후 4:1~8; 딛 2:11~14

단원 암송

내가 그리스도와 함께 십자가에 못 박혔나니
그런즉 이제는 내가 사는 것이 아니요 오직
내 안에 그리스도께서 사시는 것이라 이제
내가 육체 가운데 사는 것은 나를 사랑하사
나를 위하여 자기 자신을 버리신 하나님의
아들을 믿는 믿음 안에서 사는 것이라(갈 2:20).

성경의 초점

하나님은 왜 우리가 순종하기를 바라시나요?
하나님의 사랑에 대한 우리의 응답이
순종이기 때문이에요.

본문 속으로

초대교회가 예루살렘 밖으로 퍼져 나가면서 여러 도시에 새로운 교회들이 생겨났습니다. 각 교회에는 교회가 성장하고 복음에 충실할 수 있도록 도울 경건한 지도자가 필요했습니다. 이런 필요를 알았던 바울은 교회 지도자들에게 편지를 썼습니다. 디모데서와 디도서가 이런 편지에 속합니다.

디모데는 바울의 제자였습니다. 바울과 함께 여행하며 그를 도왔습니다. 이제 디모데는 에베소 교회의 지도자가 되었습니다. 디도는 이방인 성도로 그도 바울과 함께 여행을 다녔습니다. 지금은 크레타(그레데) 섬에 남아 더 많은 교회 지도자를 세우는 일을 돕고 있었습니다. 바울은 디모데와 디도에게 조언하고 모든 교회 지도자에게 지침을 주기 위해 편지를 썼습니다.

바울은 디모데와 디도에게 지도자가 되는 것은 힘든 일이라고 말했습니다. 하지만 그들을 지도자로 세운 분은 하나님이십니다. 지도자의 역할은 하나님을 섬기는 것입니다. 바울은 그들이 인내하며 그리스도를 기쁘시게 하는 삶을 살게 되기를 바랐습니다.

티칭 포인트

아이들을 가르칠 때, 하나님이 선물로 주신 교회 지도자들의 소중함을 깨달을 수 있도록 해 주십시오. 아이들이 교회 지도자들을 사랑하고 존경할 수 있도록 도와주십시오. 아이들이 부서 지도자들을 격려할 방법을 찾아보십시오. 더불어 하나님은 아이들 안에서 일하고 계시며, 머지않은 미래에 그들도 교회의 지도자가 될 수 있다는 점을 강조하십시오. 교회 지도자가 되는 일은 사람들이 복음을 바라볼 수 있도록 돕는 놀라운 특권입니다.

마지막으로 교회 지도자들은 그들의 뜻대로 교회를 이끄는 것이 아니라는 사실을 아이들에게 알려 주십시오. 교회 지도자들은 섬김의 본을 보이신 예수님의 모습을 따라야 합니다. 예수님은 우리 죄를 용서하기 위해 자신의 생명을 내어 주셨습니다.

주 제

바울은 교회 지도자들에게 하나님의 말씀을 가르치라고 권면했어요.

가스펠 링크

교회 지도자들은 우리를 위해 죽으신 예수님의 본을 따라 교회를 섬겨요. 그들은 성도들이 진리가 무엇인지 알 수 있도록 도와주어요.

교회 지도자들에게 권면했어요 딤전 4:11~16; 딤후 4:1~8; 딛 2:11~14

예수님은 하늘로 올라가시기 전에 제자들에게 성령님이 오셔서 예루살렘과 온 유대와 사마리아와 땅끝까지 가서 복음을 전할 능력을 주실 것이라고 말씀하셨어요. 예수님의 말씀은 그대로 이루어졌어요! 복음을 듣고 예수님을 믿는 사람들이 늘어났어요. 초대교회는 점점 성장했고 복음은 다른 도시로 퍼져 나갔어요. 성도들은 함께 모여 교회를 이루었어요. 교회 지도자들은 그들에게 하나님이 누구신지 그리고 그리스도인은 어떻게 살아야 하는지에 관해 가르쳤어요.

바울은 교회 지도자 몇 사람에게 편지를 썼어요. 그중에는 디모데와 디도도 있었어요. 디모데는 바울의 제자였어요. 바울과 함께 여행하며 바울을 도왔지요. 이제 디모데는 에베소 교회의 지도자였어요.

바울은 디모데에게 아무도 그가 어리다는 이유로 얕보지 못하게 하라고 말했어요. 그리고 "그리스도인으로서 어떻게 말하고 행동해야 하는지 모범을 보이라"라고 했지요. 사람들에게 어떻게 살고, 어떻게 사랑하며, 어떻게 하나님을 믿는지 보여 주라고 했어요.

바울은 디모데에게 성경을 열심히 읽고 사람들을 잘 가르치라고 말했어요. 오래 참되, 사람들이 잘못을 저지를 때에는 바로잡아 주라고 했어요. 성도들에게 무엇이 옳은지 가르쳐 용기를 북돋워 주라고 말했지요. 언제나 하나님의 말씀을 가르치고 복음을 전할 준비가 되어 있어야 한다고 당부했어요.

교회 지도자가 되는 것은 결코 쉬운 일이 아니에요. 바울은 디모데를 지도자로 세운 분은 바로 하나님이시라고 말했어요. 그리고 "주를 위해 고난을 겪는 것을 두려워하지 말라"라고 썼어요.

디도는 이방인 성도였지만 교회 지도자가 되었어요. 그도 바울의 제자였어요. 바울과 함께 여행하던 디도는 크레타섬에 남아 교회 지도자들을 세우는 일을 도왔어요. 바울은 디도에게 보내는 편지에서 왜 그리스도인들이 하나님을 기쁘시게 하는 모습으로 살아야 하는지에 관해 설명했어요.

하나님은 죄인들에게 은혜를 베푸세요. 아무런 자격이 없는 우리에게 죄에서 구원받을 길을 열어 주셨지요. 이 때문에 우리는 옳은 일을 하고 싶어 해요. 하나님이 기뻐하시는 삶을 살고 싶어 하지요. 예수님은 우리를 죄와 죽음에서 구원하기 위해 십자가에서 죽으셨어요. 우리를 향한 예수님의 사랑을 생각하면 선한 일을 하고 싶어져요. 우리는 언젠가 예수님이 다시 오실 것을 알아요.

●● 가스펠 링크

바울은 디모데와 디도에게 조언하고 교회 지도자들에게 성도들을 이끌 방법을 알려 주기 위해 편지를 썼어요. 교회 지도자들은 우리를 위해 죽으신 예수님의 본을 따라 교회를 섬겨요. 그들은 성도들이 진리가 무엇인지 알 수 있도록 도와주어요.

가스펠 준비 10~20분

환영

도착하는 아이들을 반갑게 맞이하고 헌금, 출석, QT 등을 확인하며 격려한다. 새 친구가 있다면 소개한다. 편안한 분위기에서 안부를 물으며 오늘의 말씀과 관련된 화제로 이야기를 나눈다. 아이들에게 지도자란 누구인지 물어본다. 만일 지도자가 된다면 어떻게 이끌고 가르칠지 이야기를 나누어 본다. 자발적으로 대화에 참여하도록 이끈다.

예) "지도자란 누구인가요?", "여러분이 생각하는 좋은 지도자는 누구인가요?" 등.

— 지도자란 다른 사람들을 가르치고 이끄는 사람을 말해요. 만약 여러분이 우리 소그룹의 지도자가 된다면 어떻게 이끌고 싶나요? 아이들의 대답을 기다린다. 재미있는 답이 많이 나왔네요. 오늘 성경 이야기는 교회 지도자들에 관해 이야기를 나눌 거예요. 바울이 교회 지도자들에게 전한 편지의 내용을 살피러 어서 말씀 속으로 들어가 보아요.

마음 열기

스무고개 *

[준비물] 색인 카드, 펜

① 색인 카드에 '바울', '편지', '기도'라고 각각 써 둔다.

② 인도자가 카드를 한 장 고르면, 그 안에 적힌 단어에 관해 한 사람씩 돌아가며 질문하라고 한다.

③ 인도자는 "예", "아니오"로만 대답할 수 있다고 말해 준다.

TIP 자원하는 아이에게 단어를 골라 인도자 역할을 하게 해도 좋다.

— 질문은 무언가에 대해 더 잘 알 수 있는 좋은 방법이에요. 하지만 질문에 대해 "예", "아니요"로만 대답한다면 질문한 사람은 정말 답답할 거예요. 오늘 성경 이야기는 질문을 받았을 때 옳은 것을 가르쳐 주라고 말해요. 무엇을 가르쳐야 할까요?

맞을까, 틀릴까? *

[준비물] 색인 카드, 펜

① 색인 카드에 다음 문장을 적어 둔다.

· 태양계에는 15개의 행성이 있어요.

· 예수님은 하나님의 아들이세요.

· 고양이는 자라서 개가 되어요.

· 브로콜리는 초록색이에요.

② 인도자가 문장을 읽으면, 그 문장이 맞는지, 틀린지 손을 들고 맞히라고 한다.

③ 어떤 문장이 틀렸다는 것을 어떻게 알았는지 물어본다.

— 진실을 아는 것은 중요해요. 특히 교회 지도자들의 경우는 더욱더 그렇지요. 교회 지도자들은 어떻게 진실만을 이야기할 수 있을까요? 오늘은 하나님이 교회 지도자들에게 주신 말씀을 들을 거예요. 함께 귀 기울여 보아요!

교사를 위한 기록장 이 과를 준비하면서 깨닫게 된 묵상을 정리해 보세요.

· 하나님이나 나에 대해 새롭게 알게 된 것은?

· 기억해야 할 하나님의 말씀은?

· 아이들에게 전하고 싶은 메시지는?

가스펠 설교

15~30분

들어가기

[준비물] 등산화, 배낭, 등산용 지팡이

등산화를 신고, 배낭을 메고, 지팡이를 짚으며 들어온다.

여러분, 안녕하세요! 오늘은 등산로 마지막 코스예요. 아주 아름다운 광경을 보게 될거예요. 끝까지 저를 잘 따라오세요! 우리는 그동안 초대교회와 성도들이 부딪혔던 여러 가지 문제에 관해 배웠어요. 그런 장애물들을 극복할 수 있도록 하나님이 주신 명령도 함께 배웠지요.

아쉽게도 오늘이 우리가 함께하는 마지막 주예요. 하지만 다행인 것은 아직 들을 성경 이야기가 하나 더 남았다는 것이지요. 저는 이 성경 이야기를 정말 좋아해요. 이 이야기는 좋은 지도자의 모습이 무엇인지 잘 보여 주기 때문이에요. 산을 오를 때는 지도자의 역할이 중요하다는 것 기억하고 있지요? 교회가 건강하게 자라고 하나님과 함께 걸어가게 할 때도 마찬가지예요.

연대표

바울이 베드로의 행동을 나무랐어요

교회가 나뉘었어요

교회 안에 차별이 생겼어요

서로 사랑하라

교회 지도자들에게 권면했어요

우리는 하나님의 자녀예요

우리는 그동안 초대교회가 겪었던 다양한 문제에 관해 이야기를 나누었어요. 이방인을 유대인과 다르게 대하고, 생각이 다르다는 이유로 서로 편을 갈랐어요. 그리고 사람을 대할 때 차별하거나, 예수님이 그들을 사랑하신 것처럼 서로 사랑하지 않는 문제였지요. 문제가 생길 때마다 하나님은 사람들과 사도들에게 영감을 주셔서 교회가 순종해야 할 하나님의 말씀을 쓰게 하셨어요.

이번 주에는 바울이 쓴 또 다른 편지를 살펴볼 거예요. 교회가 아니라 디모데와 디도라는 두 지도자에게 보낸 편지이지요. 바울은 디모데와 디도를 바울과 같은 교회 지도자로 훈련시켰어요. 연대표에서 오늘의 성경 이야기를 가리킨다. 오늘 성경 이야기는 "교회 지도자들에게 권면했어요"예요.

성경의 초점

교회 지도자들은 하나님을 예배하고 날마다 하나님께 순종할 수 있도록 돕는 일을 해요. 그러고 보니 '성경의 초점'의 질문이 생각나네요. **하나님은 왜 우리가 순종하기를 바라시나요? 하나님의 사랑에 대한 우리의 응답이 순종이기 때문이에요.** 하나님은 우리를 사랑하세요. 우리를 있는 모습 그대로 사랑하시지요. 우리를 향한 하나님의 사랑을 깨달을 때 하나님께 순종하고 우리 삶을 하나님께 맡기게 되지요.

성경 이야기

DVD 디모데전서 4장 11~16절, 디모데후서 4장 1~8절, 디도서 2장 11~14절을 펴고, 설교 영상(지도자용 팩)을 보여 주거나 이야기 성경을 들려준다. 화이트보드에 '교회 지도자들'(지도자용 팩)을 붙여 놓고 인물의 이름이 나올 때마다 해당 그림을 가리킨다. 또는 각 인물 판을 만들어 이름이 나올 때마다 판을 들어도 좋다.

지도자가 어느 길로 가야 할지 모른다면 그가 이끄는 사람 모두가 길을 잃게 될 거예요. 그래서 지도자들, 특히 교회 지도자들은 자신이 이끄는 사람들이 가야 할 방향을 분명히 알아야 해요. 바울이 디모데와 디도에게 시간을 내어 편지를 쓴 것도 바로 그런 이유에서였어요. 디모데와 디도는 교회를 이끄는 지도자였어요. 바울은 그들이 하나님을 영화롭게 하고 하나님께 순종하는 방향으로 교회를 이끌기를 바랐지요. **바울은 교회 지도자들에게 하나님의 말씀을 가르치라고 권면했어요.**

바울은 두 지도자에게 하나님의 말씀에 충실하라고 말했어요. 특별히 디모데에게는 용기를 내라고 말했지요. 디모데는 다른 지도자들에 비해 나이가 어렸어요. 그러나 바울은 나이가 어린 것은 문제가 되지 않는다는 것을 디모데가 알기를 바랐어요. 중요한 것은 디모데가 성도들에게 하나님께 순종하는 모범을 보이는 것이라고 말했어요. **하나님은 왜 우리가 순종하기를 바라시나요? 하나님의 사랑에 대한 우리의 응답이 순종이기 때문이에요.**

복/습/질/문

1. 오늘 배운 편지는 누가 썼나요? 바울
2. 바울은 디모데에게 편지를 몇 번 보냈나요? 2번
3. 바울은 디도에게 편지를 몇 번 보냈나요? 1번
4. 바울은 지도자가 된 디모데와 디도에게 보내는 편지에 어떤 내용을 썼나요? 교회 지도자들에게 하나님의 말씀을 가르치라고 권면했다
5. **하나님은 왜 우리가 순종하기를 바라시나요?**
   하나님의 사랑에 대한 우리의 응답이 순종이기 때문이에요.

가스펠 링크

바울은 디모데와 디도에게 조언하고 교회 지도자들에게 성도들을 이끌 방법을 알려 주기 위해 편지를 썼어요. 교회 지도자들은 우리를 위해 죽으신 예수님의 본을 따라 교회를 섬겨요. 그들은 성도들이 진리가 무엇인지 알 수 있도록 도와주어요.

복음 초청

DVD

성경과 21쪽 복음 초청 가이드를 이용해서 아이들에게 그리스도인이 되는 법을 설명해 준다. 따로 상담해 줄 사람을 정해 주고 궁금한 점이 있으면 물어보도록 격려한다.

이 시간 예수님을 마음에 모시고 싶은 친구는 함께 기도해요.

기도

하나님, 우리를 변함없이 사랑하시는 하나님을 찬양합니다. 교회 지도자님을 위해 기도합니다. 교회 지도자님이 날마다 하나님께 더 가까이 나아가고 온 세상을 제자로 삼는 사명을 잘 해낼 수 있도록 함께해 주세요. 또한, 우리가 교회 지도자님이 가르쳐 주는 하나님의 말씀을 잘 듣고 진리를 깨달을 수 있도록 성령님 도와주세요. 예수님의 이름으로 기도합니다. 아멘.

적용

TIP 설교 도입이나 적용으로 활용하거나 영상을 본 뒤 소그룹으로 나누어 풍성한 대화를 이어 갈 수 있습니다.

그동안 여러분이 만난 지도자들은 여러분이 자랄 수 있도록 여러분의 삶에서 어떤 도움을 주었나요? 오늘의 영상을 보며 함께 생각해 보아요.

DVD 적용 예화 영상(지도자용 팩)을 보여 준 후, 다음의 질문으로 이야기를 나눈다.

1. 각 장면에서 사라진 사람은 누구였나요?
2. 선생님, 코치, 부모님은 왜 중요한가요?
3. 목사님은 어떤 방법으로 교회를 돕나요?
4. 친구들 사이에서 어떻게 지도자 역할을 할 수 있을까요?

하나님은 우리 삶에 다양한 지도자를 보내 주셨어요. 가정에서는 부모님이, 학교에서는 선생님이, 운동할 때는 코치님이 그리고 교회에서는 목사님이 우리를 이끌어 주지요. 하지만 우리를 가장 완벽하게 이끌어 주실 지도자는 예수님이에요. 예수님은 모든 것의 왕이세요. 하나님은 하나님이 원하시는 것이 무엇인지 우리가 알 수 있도록 하나님의 말씀을 주셨어요!

하나님이 우리에게 바라시는 중요한 일 중 하나는 여러 지도자를 위해 기도하고 돕는 것이에요. 하나님은 우리를 위해 지도자를 세우셨어요. 그래서 우리는 지도자들이 하나님을 따르고 지도자 역할을 잘할 수 있도록 그들을 돕는 것은 물론, 다른 사람들도 그렇게 하도록 이끌어야 해요.

가스펠 소그룹

10~20분

나침반

그곳에 들어갈 단어

[준비물] 1단원 암송(110쪽)**, 화이트보드, 보드마커, 지우개**

① 화이트보드에 1단원 암송을 적은 후, 핵심 단어들을 지워 둔다.

② 아이들에게 빈칸에 들어갈 단어가 무엇인지 손을 들고 답해 보라고 한다.

③ 빈칸을 함께 채운 후, 완성된 암송 구절을 함께 큰 목소리로 읽는다.

TIP 아이들을 2팀으로 나누어 번갈아 빈칸을 채우게 해도 좋다.

— 바울은 편지를 써서 **교회 지도자들에게 하나님의 말씀을 가르치라고 권면했어요.** 이제 죄로 물든 옛사람은 죽어 사라지고, 그리스도와 함께하는 새로운 삶 속에서 사랑하는 마음으로 하나님께 순종하는 삶을 살아야 해요.

보물 지도

가스펠 프로젝트

[준비물] 학생용 교재 30쪽, 77쪽, 연필이나 색연필

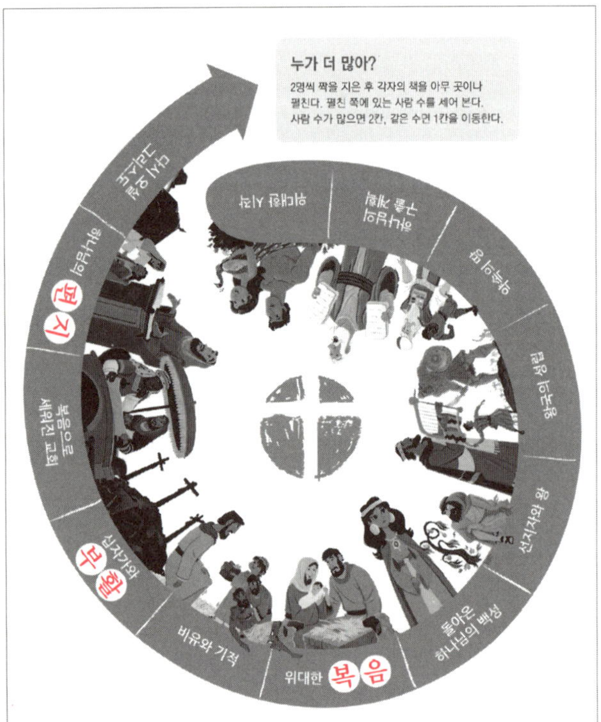

① 빈칸에 '가스펠 프로젝트'(하나님의 구원 계획)의 제목들을 적게 한다.

② 77쪽의 가스펠 프로젝트 마크를 오려 게임 말을 준비하게 한다.

③ 2명씩 짝을 짓고, '누가 더 많아?' 게임을 한다고 말해 준다.

④ 짝과 함께 "하나, 둘, 셋!"을 외친 후 각자의 책을 아무 곳이나 펼치라고 한다.

⑤ 펼친 쪽에 있는 사람의 수를 세어 보라고 한다.

⑥ 사람의 수가 더 많은 아이가 2칸 움직이고, 같은 수가 나오면 1칸씩 움직이라고 한다.

⑦ '다시 오실 그리스도'에 먼저 도착하는 아이가 이긴다.

— 우리는 지난 시간동안 예수님의 탄생, 죽음과 부활, 제자들이 예수님을 전하는 이야기에 대해 배웠어요. 많은 사람이 예수님을 믿었고, 복음을 전하기 시작했지요. 교회가 세워지고 그리스도인들이 많아지면서 교회에 다양한 문제가 생겼어요. 바울은 디모데와 디도에게 조언하고 교회 지도자들에게 성도들을 이끌 방법을 알려 주기 위해 편지를 썼어요. 교회 지도자들은 우리를 위해 죽으신 예수님의 본을 따라 교회를 섬겨요. 그들은 성도들이 진리가 무엇인지 알 수 있도록 도와주어요.

탐험하기

바울이 전한 말

[준비물] 학생용 교재 31쪽, 연필이나 색연필

	디모데	디도
1. 누구든지 너의 *연소함을 *업신여기지 못하게 하라. (디모데전서 1장 2절, 4장 12절)	응	우
2. 바른 교훈에 합당한 것을 말하라. (디도서 1장 4절, 2장 1절)	리	답
3. 범사에 너 자신이 선한 일의 본을 보이라. (디도서 1장 4절, 2장 7절)	사	순
4. 때를 얻든지 못 얻든지 말씀을 전파하라. (디모데후서 1장 2절, 4장 2절)	종	랑

★연소함 : 나이가 어림 ★업신여기다 : 얕보다.

하나님은 왜 우리가 순종하기를 바라시나요?
하나님의 사랑에 대한 우리의 응 답 이
순 종 이기 때문이에요.

① 바울이 누구에게 한 말인지를 성경에서 찾아 O표 하게 한다.

② O표 한 글자를 빈칸에 순서대로 넣어 문장을 완성하라고 한다.

— 바울은 디모데와 디도가 좋은 지도자가 될 수 있게 도

우려고 그들에게 편지를 썼어요. 바울은 그들이 하나님의 말씀을 통해 그리스도인들이 어떻게 살아야 하는지를 성도들에게 가르치는 지도자가 되기를 바랐어요. 우리는 교회 지도자들이 언제나 하나님께 순종하며 말씀에 따라 섬길 수 있도록 기도하며 도와야 해요.

격려의 편지 쓰기 *

[준비물] 교회 지도자들을 소개하는 자료(영상 또는 PPT), **편지지, 편지 봉투, 연필, 색연필**

① 교회를 섬기는 지도자들을 영상이나 PPT를 이용해 소개한다. (이름, 직위, 섬기는 일, 장점 등)

② 아이들에게 교회 지도자들에게 보내는 격려의 편지를 써 보라고 한다.

③ 편지를 봉투에 넣은 뒤, 봉투 겉면에 지도자의 이름을 쓰게 한다.

④ 아이들이 쓴 편지를 모아서 지도자에게 전달한다.

TIP 아직 글을 쓸 수 없는 아이들은 그림을 그리게 한 뒤, 간단한 문장을 넣도록 도와준다.

— 하나님은 우리를 돕는 지도자들을 보내 주셨어요. **바울은 교회 지도자들에게 하나님의 말씀을 가르치라고 권면했어요.** 교회 지도자들은 성도들이 복음을 전하고 더 많은 사람을 예수님께 이끄는 예수님의 제자가 되도록 하나님의 말씀을 가르쳐요.

얼음, 진리! *

① 술래 한 명을 정하고, 아이들을 잡으러 다녀야 한다고 말한다.

② 술래가 아닌 나머지 아이들은 술래를 피해 도망 가라고 하고, 술래에게 잡힐 것 같을 때 "얼음"을 외치고 멈추라고 한다.

③ 술래가 아닌 다른 아이들이 '얼음'을 하고 멈춰 있는 친구에게 "진리"라고 말하면, '얼음'을 한 아이는 다시 도망 다닐 수 있다고 말해준다.

④ 술래에게 잡힌 아이가 술래가 되어 놀이를 계속 진행 한다.

— 우리가 술래에게 잡혀 움직이지 못할 때, 친구가 와서 "진리"라고 말해 주었어요. 그래서 우리는 자유롭게 놀이에 참여할 수 있게 되었지요. 성경은 예수님이 진리라고 말해요(요 14:6 참조). 그리고 진리가 우리를 자유롭게 한다고 하지요(요 8:32 참조). 교회 지도자들은 성도들이 진리가 무엇인지 알도록 도와주어요.

보물 상자

나만의 기록장

[준비물] 학생용 교재 32쪽, 연필이나 색연필

성경 이야기를 통해 알게 된 것을 글이나 그림으로 표현해 보라고 한다.

- 이 성경 이야기는 하나님이나 복음에 대해 무엇을 말하고 있나요?
- 이 성경 이야기를 통해 나에 대해 알게 된 사실은 무엇인가요?
- 이 성경 이야기를 통해 깨달은 하나님의 마음은 무엇인가요?

메시지 카드

이번 주 메시지 카드로 부모님과 함께 오늘 배운 성경 이야기를 나누어 보라고 한다.

기도

하나님, 우리가 예수님을 믿는 믿음 안에서 잘 자랄 수 있도록 교회 지도자를 주셔서 감사합니다. 교회 지도자들이 예수님을 본받아 하나님의 말씀을 잘 가르치며 교회를 섬길 수 있도록 도와주세요. 그리고 우리도 하나님의 말씀을 듣고 깨달아 하나님을 더욱 사랑하고 의지하게 해 주세요. 온 세상에 복음을 전하는 예수님의 제자가 될 수 있도록 성령님 인도해 주세요. 예수님의 이름으로 기도합니다. 아멘.

2 단원
변화시키시는 하나님

바울을 비롯한 초대교회 지도자들은 성령님이 우리 마음과 생각을 변화시키셔서 예수님을 사랑하고 섬기며, 예수님이 맡기신 임무를 잘 수행할 수 있게 하신다는 사실을 기억하도록 성도들에게 편지를 썼습니다.

우리는
하나님의 자녀예요

마음을 새롭게 해
변화를 받아요

성령의 열매를
맺어요

The Gospel Project

하나님의 전신 갑주를
입어요

기쁘게 주어요

믿음의 사람들

DVD 카운트다운 – 차곡차곡 블록

카운트다운 영상(지도자용 팩)을 틀고 예배 준비 자세를 취하도록 격려한다. 예배가 시작되는 시간에 영상이 끝나도록 맞추어 놓는다. 영상이 끝나기 30초 전에 예배 인도자는 정해진 위치에 서서 조용히 기도하는 모범을 보인다.

DVD 무대 배경 – 발명 작업실

발명가의 작업실처럼 꾸민다. 오래된 가전제품, 재활용품, 테이프 같은 도구들과 공구 상자를 무대 곳곳에 흩어 놓는다. 화면에 '발명 작업실' 배경 이미지(지도자용 팩)를 띄운다.

6

우리는 하나님의 자녀예요

롬 8:12~39

단원 암송

그런즉 누구든지 그리스도 안에 있으면
새로운 피조물이라 이전 것은 지나갔으니
보라 새것이 되었도다(고후 5:17).

성경의 초점

누가 우리를 거룩하게 변화시키시나요?
성령님이 하나님의 영광을 위해 우리가
예수님을 닮아 가도록 변화시키세요.

본문 속으로

바울이 살던 시대에 로마는 중요한 도시였습니다. 바울은 로마 제국의 수도에 있는 교회가 복음에 든든히 뿌리내리는 것이 중요하다는 것을 알았습니다. 신약 성경에서 언급되는 다른 교회들과 달리 로마 교회는 바울이 세운 교회가 아니었습니다. 오히려 한 번도 가 보지 못한 교회였습니다. 이 편지를 쓸 당시 바울은 로마에 있는 성도들이 복음을 제대로 이해하도록 돕기 위해 처음으로 로마를 방문할 계획이었습니다.

로마서는 성경을 통틀어 복음이 무엇인지를 가장 명쾌하게 설명하는 책입니다. 바울은 우리 모두를 괴롭히는 죄 문제를 설명하는 것으로 편지를 시작합니다. 그 후에 예수님의 완전한 삶과 죽음과 부활이 예수님을 믿는 사람을 구원하기에 충분하다는 사실을 알려 줍니다.

로마서 5장은 사람들을 그리스도로부터 멀어진 연약하고 경건하지 않은 죄인이자 원수로 묘사합니다. 그리고 8장에서는 예수님과의 교제가 우리에게 어떤 변화를 일으키는지 보여 줍니다. 바울은 성도를 가리켜 그리스도 안에 있는 하나님의 자녀라고 말합니다. 이 얼마나 대단한 변화입니까!

복음은 단지 죽음이라는 죄의 궁극적 결과로부터 우리를 구하는 역할만 하는 것이 아닙니다. 하나님 앞에서 어중간한 위치에 서도록 하는 것도 아닙니다. 복음으로 인해 우리는 하나님의 자녀가 되며, 하나님을 사랑하는 아버지라고 부를 수 있는 권한과 특권을 가지게 됩니다. 하나님의 자녀가 된다는 것은 두려워할 것이 없다는 뜻입니다. 하나님과 우리의 관계는 영원토록 확고한 관계입니다.

●● 티칭 포인트

아이들을 가르칠 때, 아버지와 관계가 좋지 않은 아이가 있을 수 있다는 점을 염두에 두십시오. 아버지가 없는 아이도 있을 것입니다. 하나님은 우리의 완전한 아버지시라는 점을 사랑을 담아 부드럽게 설명해 주십시오. 언제나 우리 곁에 계시며 하나님의 아들 예수님으로 말미암아 우리를 무조건 사랑하시는 아버지라고 말해 주십시오.

주 제

하나님은 예수님을 믿는 우리를 하나님의 자녀로 삼으세요.

가스펠 링크

우리는 하나님의 자녀로 입양되었어요. 죄에서 자유롭게 되었고, 옳은 일을 할 수 있는 능력을 받았어요.

우리는 하나님의 자녀예요 롬 8:12~39

초대교회 지도자이며 선생이었던 바울은 로마에 있는 성도들에게 편지를 썼어요. 바울은 그곳 성도들을 만나러 갈 계획이었어요. 그들이 예수님을 바르게 믿도록 도와주기 위해서였지요.

바울은 그리스도인은 어떻게 살아야 하는지를 그들이 기억하기를 바랐어요. 그는 편지에 예수님을 믿으면 하나님이 성령님을 주시고 우리를 하나님의 자녀로 삼아 주신다고 썼어요. 그러면 우리의 생각과 행동이 완전히 달라진다고 말했어요.

성령님은 그리스도인이 죄를 거부할 수 있도록 도와주세요. 그리고 하나님을 기쁘시게 하는 삶을 살아갈 능력을 주시지요. 성령님은 죄의 종이었던 우리를 하나님의 자녀라고 하세요. 이제 우리는 하나님을 두려워할 필요가 없어요. 하나님은 마치 아버지처럼 우리를 사랑하시니까요!

하나님은 하나밖에 없는 아들 예수님을 이 땅에 보내 십자가에서 죽게 하셨어요. 예수님은 죄를 지은 적이 없으세요. 그런데도 예수님은 십자가에서 죽으심으로써 우리가 받아야 할 죗값을 대신 치르셨어요. 예수님을 믿으면 성부 하나님은 우리 죄를 용서하시고 우리를 하나님의 자녀로 삼아 주세요! 이제 우리는 하나님의 자녀예요! 하나님의 자녀가 된 우리의 장래는 엄청나게 밝아요. 이 세상에 사는 동안 여러 가지 문제나 어려움을 만나기도 하겠지만, 하나님은 우리에게 놀라운 복을 주실 거예요. 우리는 하나님과 영원히 함께하게 될 거예요.

바울은 편지에서 우리가 연약할 때 성령님이 도우신다고 말했어요. 무엇을 기도해야 할지 모를 때도 성령님이 우리를 위해 기도하신다고 썼지요. 성령님은 예수님을 닮아 가도록 우리를 변화시키세요. 하나님 아버지는 예수님이라는 가장 큰 선물을 우리에게 주셨어요. 필요한 다른 모든 것도 주실 거예요. 하나님은 우리를 사랑하세요. 어떤 것도 우리를 하나님의 사랑에서 끊을 수 없어요. 죽음도 하나님의 사랑에서 끊을 수 없어요. 생명도 하나님의 사랑에서 끊을 수 없어요. 이 세상 어느 것도 우리를 예수님 안에 있는 하나님의 사랑에서 끊을 수 없어요.

●● 가스펠 링크

하나님은 예수님을 닮아 가도록 우리를 변화시키세요. 우리는 하나님의 자녀로 입양되었어요. 죄에서 자유롭게 되었고, 옳은 일을 할 수 있는 능력을 받았어요. 하나님 아버지는 예수님을 믿는 우리를 맞아 주시고 영원히 함께하기로 약속하셨어요.

가스펠 준비

10~20분

환영

도착하는 아이들을 반갑게 맞이하고 헌금, 출석, QT 등을 확인하며 격려한다. 새 친구가 있다면 소개한다. 편안한 분위기에서 안부를 물으며 오늘의 말씀과 관련된 화제로 이야기를 나눈다. 아이들에게 가족이란 무엇이라고 생각하는지 물어본다. 자발적으로 대화에 참여하도록 이끈다.

예) "가족이란 무엇인가요?", "가족이라고 하면 떠오르는 장소는 어디인가요?" 등.

— 하나님은 우리에게 여러 모양의 가족을 주셨어요. 할아버지, 할머니까지 3대가 함께 사는 가족도 있고, 아이가 많은 가족, 아이가 한 명뿐인 가족도 있지요. 어떤 가족은 세계 곳곳에 흩어져 살고, 어떤 가족은 한곳에 모여 살아요. 오늘은 하나님의 가족이 된다는 것이 무슨 뜻인지 함께 알아볼 거예요.

TIP 가정 문제로 힘들어하는 아이가 있거나 결손 가정 아이가 있다면 특별히 조심스럽게 접근한다.

마음 열기

이야기 이어 가기 *

[준비물] 장난감 마이크

① 아이들을 둥그렇게 앉힌다.

② 인도자가 마이크를 들고 "옛날 옛적에, 헬멧을 쓴 소년이 있었어요"라고 말한 후, 오른쪽 아이에게 마이크를 전달한다.

③ 마이크를 받은 아이에게 인도자가 한 이야기에 덧붙여 이야기를 이어 가게 한다.

④ 옆 사람에게 마이크를 전달하며 모든 아이가 앞 사람의 이야기에 새로운 이야기를 덧붙여 이어 가게 한다.

— 처음에 시작된 이야기는 여러 사람이 한 문장씩 더할 때마다 다른 이야기가 되었어요. 우리 삶도 마찬가지예요. 우리의 삶이 어떻게 변할지 아무도 몰라요. 하지만 어떤 삶을 살더라도 하나님만 믿고 의지해야 하는 이유를 오늘의 성경 이야기를 통해 알게 될 거예요. 잘 들어 보세요!

가계도 그리기 *

[준비물] 종이, 연필이나 색연필

① 아이들에게 종이와 연필을 나누어 준다.

② 가계도가 무엇인지 설명해 주고, 아이들이 가계도를 그릴 수 있도록 처음 몇 단계를 도와준다.

③ 아이들이 가계도 그리는 것을 어려워하면, 가족을 그림으로 그리게 해도 좋다.

TIP 가정 문제로 힘들어하는 아이가 있거나 결손 가정 아이가 있다면 특별히 조심스럽게 접근한다.

— 우리에게는 가족이 있어요. 서로 사이가 좋은 가족도 있지만, 다투고 싸우는 가족도 있을 수 있어요. 하지만 어떤 경우든 하나님은 가족을 통해서 하나님을 더 잘 알게 하세요. 오늘 우리는 하나님의 가족에 관해 배울 거예요. 태어날 때부터 하나님의 가족인 사람은 아무도 없어요. 그러나 누구든지 하나님의 가족이 될 수 있어요. 어떻게 하면 하나님의 가족이 될 수 있을까요?

교사를 위한 기록장 이 과를 준비하면서 깨닫게 된 묵상을 정리해 보세요.

· 하나님이나 나에 대해 새롭게 알게 된 것은?

· 기억해야 할 하나님의 말씀은?

· 아이들에게 전하고 싶은 메시지는?

가스펠 설교

15~30분

들어가기

[준비물] 작업복, 공구 벨트, 보안경, 전동 드릴, 포크

작업복을 입고, 공구 벨트를 허리에 차고 들어온다. 보안경을 착용하고, 작업에 열중한 척하다가 아이들을 발견한다.

어이쿠! 안녕하세요, 여러분! 제 작업실에 이렇게 많은 친구가 올 줄 몰랐네요. 제 작업실을 찾아와 주어서 고마워요. 저는 발명품을 만드는 동안 옆에 친구가 있는 것을 좋아해요. 제가 생각하지 못했던 또 다른 아이디어를 얻을 수 있으니까요. 발명가의 좋은 점이 무엇인지 아세요? 오래된 물건을 새로운 목적을 가진 물건으로 변화시킬 수 있다는 점이에요. 이것을 한번 보세요. 포크를 끼운 드릴을 보여 준다. 이건 원래 평범한 드릴과 평범한 포크였지만, 이제 둘이 합쳐 '파스타 돌돌이 500'이 되었어요. 그냥 포크를 파스타에 꽂고 드릴 스위치를 켠다. 돌돌돌 감으세요. 파스타, 짜장면이나 냉면도 아주 쉽고 편하게 감을 수 있답니다! 그런데 있잖아요. 좀 뜬금없어 보일 수도 있지만, 어떤 물건을 다른 물건으로 변화시키는 이야기를 하다 보니 갑자기 하나님이 생각나는군요. 무슨 소리냐고요? 무슨 말인지 이제 곧 알게 될 거예요!

연대표

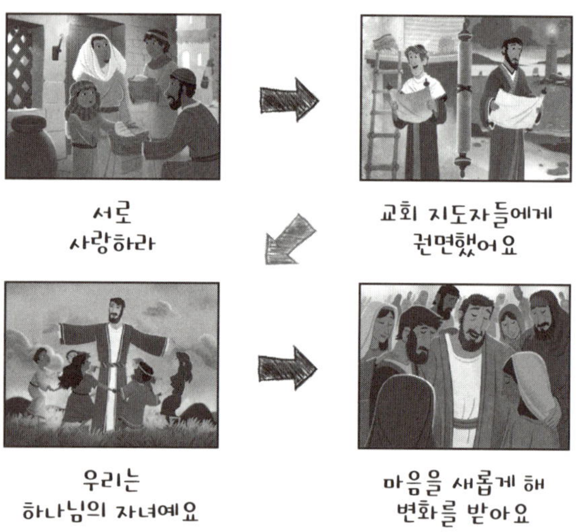

연대표에서 지난 성경 이야기들을 가리킨다. 아! 여러분은 그동안 초대교회에 있었던 여러 문제와 하나님이 사도들을 통해 교회를 이끌어 가신 성경 이야기를 배웠군요. 그렇다면 이번 주부터는 예수님을 믿고 난 후 우리가 어떻게 변화되는지를 배울 거예요. 연대표에서 오늘의 성경 이야기를 가리킨다. 오늘 성경 이야기의 제목은 "우리는 하나님의 자녀예요"랍니다.

성경의 초점

말씀드린 대로 저와 같은 발명가들은 가전제품이나 다양한 도구에 변화를 주어서 삶을 더 편리하게 도와줄 새로운 물건들을 만들어 내지요. 아, 떠오르는 '성경의 초점'이 있어요! 먼저 질문을 말해 볼게요. **"누가 우리를 거룩하게 변화시키시나요?"**랍니다. 어려운 질문이지만 오늘 성경 이야기를 듣고 나면 무슨 말인지 이해가 될 거예요.

성경 이야기

DVD 로마서 8장 12~39절을 펴고, 설교 영상(지도자용 팩)을 보여 주거나 이야기 성경을 들려준다. 다양한 모습의 가족사진을 보여 주며 이야기를 한다. 하나님의 가족이 되는 것이 얼마나 기쁘고 좋은 일인지 상기시켜 준다.

하나님의 말씀은 정말 놀라워요! 하나님은 말씀으로 우리에게 큰 위로와 가르침을 주세요. 오늘 성경 이야기는 특별히 더 놀라워요. 우리가 예수님을 믿을 때 일어나는 일을 알려 주기 때문이지요.

성경은 모든 사람이 태어날 때부터 죄인이고, 죄 때문에 하나님과 멀어졌다고 말해요. 어떻게 보면 길을 잃고 아무도 돌보아 줄 사람이 없는 어린아이와 같은 존재지요. 정말 슬픈 이야기예요. 우리 죄를 없애기 위해 우리가 할 수 있는 일은 아무것도 없어요. 하지만 감사하게도 우리를 위해 죄를 이기신 분이 계세요. 바로 예수님이지요!

예수님은 이 땅에 오셔서 완전한 삶을 사시고 우리 죄를 대신 지고 십자가에서 죽으셨어요. 우리가 예수님을 믿을 때 하나님은 우리를 의롭다 하시고, 성령님을 보내셔서 우리 안에 거하시며 우리 삶을 변화시키세요. 성경은 그리스도인이 하나님의 자녀가 된다고 가르쳐요. 그 말은 곧 하나님이 우리 아빠 아버지가 되신다는 뜻이에요(갈 4:6 참조). 그것도 풍성한 사랑으로 우리를 너무나 사랑하시는 좋은 아버지, 완벽한 아버지 말이에요.

하나님은 예수님을 믿는 우리를 하나님의 자녀로 삼으세요. 우와! 그러니까 우리는 용서만 받는 것이 아니라 하나님의 자녀가 되어 새 삶을 살아갈 능력도 함께 받는 거예요. 하나님의 사랑과 성령님의 능력으로 고아와 같던 우리가 하나님의 자녀로 변화되는 거예요. 그렇다면 **누가 우리를 거룩하게 변화시키시나요? 성령님이 하나님의 영광을 위해 우리가 예수님을 닮아 가도록 변화시키세요.**

가스펠 링크

하나님은 예수님을 닮아 가도록 우리를 변화시키세요. 우리는 하나님의 자녀로 입양되었어요. 죄에서 자유롭게 되었고, 옳은 일을 할 수 있는 능력을 받았어요. 하나님 아버지는 예수님을 믿는 우리를 맞아 주시고 영원히 함께하기로 약속하셨어요.

찬양

성령의 열매

우리는 하나님의 자녀
소망 안에서 기뻐하고
어려울 때 함께 우는
우리는 주의 한 가족

우리는 새로운 피조물
그리스도 안에서 새로워진
성령의 열매 맺어가는
우리는 주의 백성

사랑 기쁨 평화 오래 참음
선함 자비 신실 온유 절제
이것이 바로 성령의 열매
하나님 주신 선물

우릴 위해 예수님을 주셨듯이
주의 영광 위해 모든 것 드리는
우리가 바로 하나님 자녀
우리는 주의 백성.

복음 초청

성경과 21쪽 복음 초청 가이드를 이용해서 아이들에게 그리스도인이 되는 법을 설명해 준다. 따로 상담해 줄 사람을 정해 주고 궁금한 점이 있으면 물어보도록 격려한다.

이 시간 예수님을 마음에 모시고 싶은 친구는 함께 기도해요.

기도

하나님, 하나뿐인 아들 예수님을 보내 주셔서 감사합니다. 예수님의 죽음과 부활을 믿는 자에게 구원을 주시는 하나님을 찬양합니다. 우리가 예수님을 믿을 때 우리를 하나님의 자녀 삼아주신다는 것을 배웠습니다. 하나님의 자녀로 살아갈 때 더욱 예수님을 닮아 가도록 성령님 함께해 주세요. 예수님의 이름으로 기도합니다. 아멘.

적용

TIP 설교 도입이나 적용으로 활용하거나 영상을 본 뒤 소그룹으로 나누어 풍성한 대화를 이어 갈 수 있습니다.

누구나 두려움을 느낄 때가 있어요. 여러분은 무엇이 두려운가요? 오늘의 영상을 함께 보아요.

DVD 적용 예화 영상(지도자용 팩)을 보여 준 후, 다음의 질문으로 이야기를 나눈다.

1. 컵케이크들은 무엇을 두려워했나요?
2. 컵케이크들은 무엇 덕분에 안심하고 두려움을 이길 수 있었나요?
3. 우리가 두려워하는 것은 어떤 것들이 있나요?
4. 하나님이 우리 아버지라는 사실은 두려움을 이기는 데 어떤 도움이 되나요?

예수님은 우리 죗값을 대신 치르기 위해 십자가에서 죽으셨어요. 그 결과 하나님은 예수님을 믿는 사람을 의롭고 깨끗하다고 여기세요. 마치 우리에게 아무 죄가 없는 것처럼 말이에요. 하나님은 우리를 하나님의 자녀로 삼으셨어요. 그리고 자녀인 우리를 사랑하세요. 이 세상 무엇도 하나님의 사랑에서 우리를 갈라놓을 수 없어요. 언젠가 우리는 새로워지고, 완전해지고, 회복된 세상에서 영원히 하나님과 함께 살게 될 거예요.

가스펠 소그룹

10~20분

나침반

몸으로 외워요

“그런즉 누구든지 그리스도 안에 있으면 새로운 피조물이라 이전 것은 지나갔으니 보라 새것이 되었도다”(고후 5:17).

[준비물] 학생용 교재 36쪽, 연필이나 색연필

① 빈칸을 완성한 후 손동작을 따라 하며 고린도후서 5장 17절을 외워 보라고 한다.

② 손동작을 다 외운 아이가 있다면 암송할 기회를 주고 칭찬해 준다.

—— 바울은 하나님이 주시는 감동으로 이 말씀을 썼어요. 그는 고린도 성도들에게 죄로 가득했던 그들의 옛사람은 이제 없다고 가르쳤어요. 예수님을 믿으면 우리는 새로운 마음을 가진 새사람이 되어요.

보물 지도

너를 지목하였다

[준비물] 색연필

① 아이들을 둥그렇게 앉힌다.

② 인도자가 질문을 한 뒤, 원 한가운데에서 색연필을 돌린다. 멈춘 색연필의 앞부분이 가리키는 아이에게 답을 말할 기회를 준다.

③ 아이가 답을 말하지 못하면, ‘친구 찬스(친구에게 도움을 받을 수 있음)’를 사용해 친구의 도움을 받아 대답하게 한다.

1 오늘 배운 편지는 누가 썼나요? 바울 (롬 1:1)

2 누구에게 쓴 편지였나요? 로마에 있는 성도들 (롬 1:7)

3 예수님을 믿으면 우리는 어떤 사람이 되나요?
하나님의 자녀가 된다 (롬 8:14~15)

4 **누가 우리를 거룩하게 변화시키시나요?**
성령님이 하나님의 영광을 위해 우리가 예수님을 닮아 가도록 변화시키세요.

—— **하나님은 예수님을 믿는 우리를 하나님의 자녀로 삼으세요.** 이제 우리는 하나님을 두려워할 필요가 없어요. 우리 아버지는 우리를 사랑하시고 용서하시는 분이기 때문이에요.

탐험하기

누구? 누구!

[준비물] 학생용 교재 37쪽, 연필이나 색연필

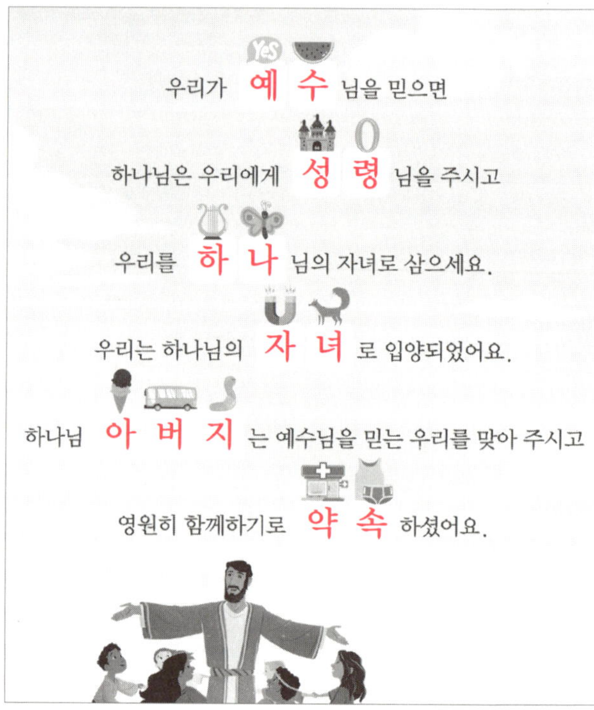

① 그림을 보고 떠오르는 단어의 첫 글자를 빈칸에 넣어 문장을 완성해 보라고 한다.

② 완성한 문장을 읽으며 우리가 누구의 자녀인지 강조한다.

—— **하나님은 예수님을 믿는 우리를 하나님의 자녀로 삼으세요.** 죄에서 자유롭게 되고 하나님의 자녀가 된 그리스도인들은 모두 같은 아버지 아래 형제자매가 되는 거예요! 우리 모두 하나님 아버지의 사랑으로 하나가 되고, 예수님을 닮아 가며 복음을 전해요.

접착제보다 강해요! *

[준비물] 플라스틱 통, 플라스틱 일회용 숟가락, 순간접착제, 매직, 아세톤, 솜

① 빈 플라스틱 통에 '하나님의 사랑'이라고 쓰고, 일회용 숟가락에 아이들의 이름을 각각 써 둔다.

② 아이들에게 자신의 이름이 적힌 숟가락을 나누어 준다.

③ 한 명씩 숟가락을 순간접착제로 플라스틱 통에 붙인 뒤 다시 떼어 보게 한다.

TIP 손가락에 접착제가 묻은 아이가 있다면, 매니큐어 제거용 아세톤을 솜에 묻힌 후 손가락에 발라 접착제를 녹이거나, 접착제가 다 마를 때까지 기다렸다가 마른 후에 떼어 내게 한다.

—— 순간접착제는 워낙 강력해서 한번 붙으면 떼어 내기가 힘들어요. 오늘 성경 이야기는 하나님과 예수님을 믿는 사람의 관계는 이 세상에서 가장 강력한 접착제보다도 훨씬 강력하다고 가르쳐 주어요! 성경은 그 무엇도 우리를 하나님의 사랑에서 갈라놓을 수 없다고 말해요. **하나님은 예수님을 믿는 우리를 하나님의 자녀로 삼으세요.**

우리는 한 가족! *

[준비물] 폴라로이드 사진기 또는 반 친구들과 찍은 사진, 4절 도화지, 풀, 사인펜

① 우리가 하나님의 자녀이며 한 가족이라는 사실을 되짚어 준다.

② 우리 반이 한 가족인 것을 표현하는 사진을 찍는다. 또는 전에 찍었던 사진이 있다면 출력해 놓는다.

③ 4절 도화지에 사진을 붙이고 우리가 왜 하나님의 자녀인지 알리는 포스터를 만들라고 한다.

④ 교회 게시판에 잘 보이는 곳에 붙여 놓는다.

—— 대부분 가족이라고 하면 집에서 같이 살거나, 혈연관계에 있는 사람이라고 생각해요. 하지만 **하나님은 예수님을 믿는 우리를 하나님의 자녀로 삼으세요.** 하나님의 자녀인 우리는 모두 그리스도 안에서 형제자매예요! 하나님의 가족은 예수님을 사랑하고 예수님이 자신의 죄를 용서하신다고 믿는 세상의 모든 사람이에요. 이 땅의 가족처럼 하나님의 가족도 사랑으로 하나가 되어 서로 돕기 위해 힘을 모아요. 우리는 모두 하나님을 영화롭게 하고 복음을 전하라는 부르심을 받았어요.

보물 상자

나만의 기록장

[준비물] 학생용 교재 38쪽, 연필이나 색연필

성경 이야기를 통해 알게 된 것을 글이나 그림으로 표현해 보라고 한다.

· 이 성경 이야기는 하나님이나 복음에 대해 무엇을 말하고 있나요?

· 이 성경 이야기를 통해 나에 대해 알게 된 사실은 무엇인가요?

· 나는 누구에게 이 성경 이야기를 들려줄 수 있을까요?

메시지 카드

이번 주 메시지 카드로 부모님과 함께 오늘 배운 성경 이야기를 나누어 보라고 한다.

기도

사랑의 하나님, 하나님의 자녀로 삼아 주시고, 하나님을 아버지로 부를 수 있게 해 주셔서 감사합니다. 이 세상 어느 것도 자녀들을 향한 하나님 아버지의 사랑을 끊을 수 없다는 것을 배웠습니다. 성령님의 능력으로 날마다 우리의 삶이 변화되어 하나님께 영광 돌리며 살아 갈 수 있도록 도와주세요. 예수님의 이름으로 기도합니다. 아멘.

7

마음을 새롭게 해 변화를 받아요

롬 12:1~18; 고전 1:9; 빌 1:3~7

단원 암송

그런즉 누구든지 그리스도 안에 있으면
새로운 피조물이라 이전 것은 지나갔으니
보라 새것이 되었도다(고후 5:17).

성경의 초점

누가 우리를 거룩하게 변화시키시나요?
성령님이 하나님의 영광을 위해 우리가
예수님을 닮아 가도록 변화시키세요.

본문 속으로

바울의 편지들은 대부분 같은 전개를 따릅니다. 편지의 첫 부분에는 중요한 복음의 진리에 집중합니다. 다음으로 그 진리가 우리의 일상생활을 어떻게 만들며, 우리는 어떻게 살아가야 하는지 설명합니다. 복음으로 인한 삶의 변화를 설명하는 것입니다.

바울은 로마서 1~11장에서는 복음에 대해 설명하고, 12~16장에서는 그 복음이 우리를 어떻게 변화시키는가에 대해 집중적으로 다룹니다. 로마서 12장 1~2절은 이 두 부분을 연결하는 고리입니다. 바울은 성도들에게 하나님의 긍휼을 명심하라고 촉구합니다. 은혜와 긍휼이 많고 선하신 하나님은 예수님을 보내 우리의 죗값을 대신 치르게 하셨습니다. 그리고 우리를 하나님의 가족이 되게 하셨습니다.

그 후에 바울은 복음이 우리에게 어떤 영향을 미치는지 요약하며 기대하게 합니다. 우리는 하나님을 기쁘시게 하는 산 제물이 되어야 합니다. 어떻게 그렇게 될 수 있을까요? 답은 로마서 12장 2절에 있습니다. 마음을 새롭게 함으로 변화를 받아야 합니다. 성령님에 의해 변화를 받아 마음이 새로워지면, 무엇이 하나님을 기쁘시게 하는지, 하나님의 뜻이 무엇인지를 깨닫게 됩니다. 복음은 먼저 우리의 마음과 생각을 바꿉니다. 그리고 결과적으로 우리의 삶을 바꿉니다. 이것이 우리가 하나님을 기쁘시게 하고 영화롭게 하는 방법입니다.

●● 티칭 포인트

아이들을 가르칠 때, 복음으로 삶이 변화되는 것이 얼마나 중요한지 일깨워 주십시오. 자신의 노력으로는 하나님을 기쁘시게 할 수 없을 뿐만 아니라 하나님도 그것을 원하지 않으십니다. 복음을 의지하는 것이 무엇인지, 그리스도 예수 안에서 새롭게 되는 것이 어떤 의미인지 아이들이 깨달을 수 있도록 도와주십시오. 그리고 성령님이 아이들의 생각과 마음과 행동을 인도하신다는 것이 어떤 의미인지 설명해 주십시오. 하나님이 우리의 마음을 변화시키시게 하는 방법 중 하나는 하나님의 말씀을 읽는 것입니다. 아울러 이번 주에 아이들이 성경을 읽는 시간을 갖도록 격려해 주십시오.

주 제

하나님은 우리가 서로 아끼고 사랑하며 교제하기를 바라세요.

가스펠 링크

예수님의 죽음과 부활로 우리는 하나가 되었어요. 그리고 성령님은 우리의 생각과 삶을 변화시키세요. 하나님이 우리를 사랑하시듯이 우리도 서로 사랑할 수 있어요.

마음을 새롭게 해 변화를 받아요 롬 12:1~18; 고전 1:9; 빌 1:3~7

바울은 초대교회의 선교사이자 선생이었어요. 여러 곳을 여행하며 복음을 전하고 그리스도인들을 가르쳤어요. 직접 만날 수 없는 사람들에게는 편지를 썼어요. 바울은 로마에 있는 성도들에게 편지를 보냈어요. 편지에서 예수님을 믿는 사람은 하나님이 기뻐하시는 거룩한 삶을 살아야 한다고 말했어요. 하나님은 성도들이 서로 아끼고 사랑하며 살아가도록 부르셨어요.

하나님은 우리를 긍휼히 여기세요. 하나님의 사랑을 받을 자격이 없는 죄인 된 우리에게 사랑을 베푸셨어요. 바울은 이렇게 말했어요. "그러므로 하나님이 기뻐하시는 모습으로 사십시오. 예수님을 믿지 않는 사람들을 따라 살지 마십시오. 하나님이 여러분의 생각을 바꾸시게 하십시오. 성령님은 여러분 안에 계십니다. 그분이 옳은 길을 보여 주시면, 여러분을 위한 하나님의 선한 계획을 알게 될 것입니다."

"자신의 실제 모습보다 더 낫게도 나쁘게도 생각하지 마십시오. 모든 사람은 똑같지 않습니다. 하나님은 모든 사람에게 믿음을 주시지만, 믿음의 양은 저마다 다릅니다. 하나님은 우리에게 각각 다른 선물(은사)을 주셨습니다. 어떤 사람은 예언의 선물을, 어떤 사람은 가르침의 선물을 받았습니다. 어떤 사람은 섬김을, 어떤 사람은 격려를, 어떤 사람은 나누는 일을, 어떤 사람은 남을 이끄는 일을, 어떤 사람은 긍휼히 여기는 일을 선물로 받았습니다. 몸의 각 부분이 힘을 합쳐 일하듯이 그리스도인들도 함께 일해야 합니다. 우리는 모두 예수님 안에서 한 몸입니다."

우리가 할 일은 서로를 한 가족처럼 사랑하는 거예요. 우리는 소망 안에서 기뻐하고, 어려운 일을 만나도 오래 참으며, 기도를 멈추지 말아야 해요. 바울은 "기뻐하는 사람이 있으면 함께 기뻐하고, 슬퍼하는 사람이 있으면 함께 슬퍼하십시오. 가능하면 모든 사람과 사이좋게 지내십시오"라고 말했어요.

훗날 바울은 로마에 있는 감옥에 갇혔어요. 그곳에서 빌립보에 있는 성도들에게 편지를 썼어요. 바울은 그들의 삶 속에서 하나님이 일하시기 때문에 기쁘다고 말했어요. 성도들은 바울에게 헌금을 보내거나 그를 위해 기도했어요. 바울은 그들로 인해 하나님께 감사드렸어요. 바울은 하나님이 그들을 점점 더 예수님을 닮아 가도록 변화시키고 계시다는 것을 알았어요.

가스펠 링크

하나님은 우리가 서로 아끼고 사랑하며 교제하기를 바라세요. 그리스도인은 모두 예수님에게 속해 있어요. 예수님의 죽음과 부활로 우리는 하나가 되었어요. 그리고 성령님은 우리의 생각과 삶을 변화시키세요. 하나님이 우리를 사랑하시듯이 우리도 서로 사랑할 수 있어요.

가스펠 준비

10~20분

환영

도착하는 아이들을 반갑게 맞이하고 헌금, 출석, QT 등을 확인하며 격려한다. 새 친구가 있다면 소개한다. 편안한 분위기에서 안부를 물으며 오늘의 말씀과 관련된 화제로 이야기를 나눈다. 아이들에게 아기 때부터 지금까지 어떻게 변했는지 물어본다. 자발적으로 대화에 참여하도록 이끈다.

예) "어렸을 때와 지금 다른 점은 무엇인가요?", "얼마나 성장했나요?" 등.

— 우리는 자라는 동안 변해요. 아기에서 아이가 되고, 아이에서 청소년이 되고, 청소년에서 어른이 되지요. 어른이 된 후에도 계속 변해서, 나중에는 할아버지나 할머니가 되어요. 오늘은 이와 같은 몸의 변화가 아닌 다른 변화에 관해 알아볼 거예요. 우리가 살펴볼 변화는 어떤 변화일까요?

마음 열기

너는 어떤 점이 특별하니? *

① 아이들을 둥그렇게 앉힌다.

② 한 사람씩 돌아가며 자신의 특별한 점을 한 가지씩 말하게 한다.

③ 말하지 못하는 아이가 있으면, 인도자와 아이들이 그 아이의 장점을 찾아 말해 준다.

— 우리에게는 자신을 돋보이게 하고 특별하게 만드는 기술이나 능력이 있어요. 하나님은 우리에게 각기 다른 재능을 주셨어요. 그리고 우리가 힘을 합쳐 하나님의 영광을 위해 그 재능을 사용하기를 바라세요. 오늘은 하나님이 성령님을 통해 주시는 특별한 재능과 능력에 관해 배울 거예요. 과연 어떤 것들이 있을까요?

감정 따라 하기 *

[준비물] 색인 카드, 사인펜

① 색인 카드에 다양한 감정을 적어 둔다.

예) 기쁨, 슬픔, 신남, 화남, 부끄러움, 외로움, 행복함 등.

② 아이 중 술래 한 명을 정하고, 색인 카드 한 장을 보여 준다.

③ 술래에게 카드에 적힌 감정을 나타내는 표정을 짓게 하고, 다른 아이들은 거울이 되어 술래의 표정을 따라 하라고 한다.

④ 모든 아이가 술래 역할을 할 때까지 놀이를 반복한다.

— 모두 감정 표현을 참 잘했어요. 술래가 표현하는 감정을 거울처럼 잘 따라했고요. 오늘 성경 이야기에서는 예수님을 닮아 가도록 성령님이 우리를 변화시키신다는 것을 배울 거예요. 그렇게 변화된 그리스도인은 기뻐하는 사람과 함께 기뻐하고, 슬퍼하는 사람과 함께 슬퍼하게 되어요. 과연 무슨 말일까요?

교사를 위한 기록장 이 과를 준비하면서 깨닫게 된 묵상을 정리해 보세요.

·하나님이나 나에 대해 새롭게 알게 된 것은?

·기억해야 할 하나님의 말씀은?

·아이들에게 전하고 싶은 메시지는?

가스펠 설교

15~30분

들어가기

[준비물] 작업복, 공구 벨트, 보안경, 분무기, 빗

작업복을 입고, 공구 벨트를 허리에 차고 들어온다. 보안경을 착용하고, 분사구에 빗을 붙인 분무기를 들고 있다.

안녕하세요, 여러분! 이렇게 와 주어서 정말 기뻐요. 제가 최근에 만든 발명품을 여러분에게 꼭 보여 주고 싶었거든요. 이름하여 '스타일 마스터 2.0!' 제가 이 물건을 발명한 이유는 아침마다 엉클어진 머리를 물로 적시고 빗으로 빗는 일이 너무 귀찮아서예요. 보다시피 이 독창적인 발명품만 있으면 그 모든 일을 단번에 해결할 수 있답니다.

지난 한 달간 사용해본 결과, 말 그대로 수십 분의 시간을 절약할 수 있었어요. 이 제품은 전 세계 사람들의 머리 스타일을 변화시킬 거예요! 하지만 여러분, 사람들의 머리 모양을 바꾸는 일은 사람들의 마음을 변화시키는 일만큼 중요하거나 인상적이지 않은 것 같아요. 사람의 마음을 변화시키는 일은 오직 성령님만 하실 수 있지요! 그래서 말인데, 제가 하는 말을 이해할 수 있도록 여러분에게 성경 이야기를 하나 들려주면 어떨까요?

연대표

우리는 하나님의 자녀예요

마음을 새롭게 해 변화를 받아요

성령의 열매를 맺어요

하나님의 전신 갑주를 입어요

지난주에는 우리가 죄의 종에서 하나님의 자녀로 바뀐 것에 관해 이야기했어요. **하나님은 예수님을 믿는 우리를 하나님의 자녀로 삼으세요.** 오늘은 성령님이 우리의 생각과 행동을 변화시키시는 것을 배우게 될 거예요. 연대표에서 오늘의 성경 이야기를 가리킨다. 오늘 성경 이야기의 제목은 "마음을 새롭게 해 변화를 받아요"랍니다.

성경의 초점

지난주에 새로운 '성경의 초점'을 배웠어요. 이 질문을 통해 예수님을 믿는 사람은 안에서부터 변화가 일어난다는 것을 알게 되었지요. '성경의 초점'의 질문과 답을 기억하는 사람 있나요? 아이들의 대답을 기다린다. 대단해요! 바로 그거예요. **누가 우리를 거룩하게 변화시키시나요? 성령님이 하나님의 영광을 위해 우리가 예수님을 닮아 가도록 변화시키세요.**

성경 이야기

DVD 로마서 12장 1~18절, 고린도전서 1장 9절, 빌립보서 1장 3~7절을 펴고, 설교 영상(지도자용 팩)을 보여 주거나 이야기 성경을 들려준다. 물을 담아 놓은 용기에 식용 색소 3방울 정도를 떨어뜨린 후 물의 색이 어떻게 변했는지 물어본다. 그런 후 '변화'에 대해 설명해 준다. 또는 "기뻐하는 사람이 있으면 함께 기뻐하고, 슬퍼하는 사람이 있으면 함께 슬퍼하십시오. 가능하면 모든 사람과 사이좋게 지내십시오"를 말하는 부분에서 아이들에게 해당하는 표정을 지어 보라고 한다.

어떤 사람들은 성경이 해야 할 일과 하지 말아야 할 일을 적어 놓은 규칙에 관한 책이라고 생각해요. 물론 성경에 어떻게 살아야 하는지에 관한 지시가 있지만, 성경은 단순히 하나님이 우리에게 주신 규칙을 나열한 책이 아니에요. 바울의 편지를 보면 그는 성도들에게 어떻게 살아야 하는지 알려 주기 전에 항상 복음을 먼저 일깨워 주었어요. 그래서 하나님께 순종하는 것은 우리를 위한 하나님의 사랑 때문이라는 사실을 기억하게 하지요. 복음은 우리를 변화시켜요. 우리의 생각이 하나님을 더 잘 알고 우리 마음이 하나님을 더 사랑하도록 바뀌면, 그러한 생각과 마음 때문에 우리의 행동이 바뀌는 거예요.

바울은 여러 교회에 편지를 썼어요. 예수님을 믿음으로 한 몸이 된 그리스도인들은 서로 힘이 되어 주고, 서로를 도와야 해요. 기쁠 때는 함께 즐거워하고, 슬플 때는 서로 위로해 주어야 하지요. **하나님은 우리가 서로 아끼고 사랑하며 교제하기를 바라세요.** 이 모든 것은 성령님이 우리 마음을 변화시키시기 때문에 가능해요. 성령님은 우리 생각이 하나님의 생각을 닮아 가게 하시고, 우리 마음이 하나님이 원하시는 일을 바라게 만드세요. **누가 우리를 거룩하게 변화시키시나요? 성령님이 하나님의 영광을 위해 우리가 예수님을 닮아 가도록 변화시키세요.**

가스펠 링크

우리는 모두 죄인이에요. 죄 때문에 하나님에게서 멀어졌지요. 그것을 바꾸기 위해 우리가 할 수 있는 일은 아무것도 없어요. 하지만 감사하게도 하나님은 예수님을 보내셔서 우리를 대신해 십자가에서 죽으시고 다시 살아나심으로 죽음을 이기게 하셨어요. 예수님을 믿으면 성령님은 우리 안에 거하시며 우리를 변화시키세요. **하나님은 우리가 서로 아끼고 사랑하며 교제하기를 바라세요.** 그리스도인은 모두 예수님에게 속해 있어요. 예수님의 죽음과 부활로 우리는 하나가 되었어요. 그리고 성령님은 우리의 생각과 삶을 변화시키세요. 하나님이 우리를 사랑하시듯이 우리도 서로 사랑할 수 있어요.

복음 초청

성경과 21쪽 복음 초청 가이드를 이용해서 아이들에게 그리스도인이 되는 법을 설명해 준다. 따로 상담해 줄 사람을 정해 주고 궁금한 점이 있으면 물어보도록 격려한다.

이 시간 예수님을 마음에 모시고 싶은 친구는 함께 기도해요.

기도

하나님, 죄로 인해 죽을 수 밖에 없는 우리를 위해 예수님을 보내 주셔서 감사합니다. 우리의 생각과 마음을 변화시키시는 성령님, 우리가 더욱 예수님을 닮아 가게 인도해 주세요. 하나님의 사랑을 기억하며 서로 아끼고 사랑할 수 있도록 함께해 주세요. 예수님의 이름으로 기도합니다. 아멘.

적용

TIP 설교 도입이나 적용으로 활용하거나 영상을 본 뒤 소그룹으로 나누어 풍성한 대화를 이어 갈 수 있습니다.

우리가 도무지 어떻게 할 수 없는 변화가 있어요. 어떤 변화일까요? 오늘의 영상을 보며 함께 생각해 보아요.

DVD 적용 예화 영상(지도자용 팩)을 보여 준 후, 다음의 질문으로 이야기를 나눈다.

1. 아이에게 자기 키를 자라게 하는 능력이 있었나요?
2. 우리가 어떻게 할 수 없는 변화에는 어떤 것들이 있을까요?
3. 우리가 만들 수 있는 변화는 어떤 것들이 있을까요?
4. 그리스도인으로 '성장한다'거나 '믿음이 자란다'는 것은 무슨 뜻일까요?
5. 그런 성장을 위해서는 누구의 능력이 필요할까요?

하나님은 예수님을 믿을 때 우리를 변화시키세요. 예수님을 믿으면 두 가지 변화가 일어나요.

첫 번째 변화는 '칭의'라고 해요. 예수님을 믿는 사람을 하나님이 의롭다고 선언하시는 거예요(롬 3:24 참조). 하나님 앞에서 우리의 신분이 바뀌는 것이지요. 죄 때문에 '유죄'를 받은 죄인에서 예수님의 의로 죄에서 자유함을 얻은 자가 되는 거예요. .

두 번째 변화는 '성화'예요. 시간이 좀 걸리지만, 이 변화도 하나님의 능력으로 나타나요. 성화는 우리가 예수님처럼 생각하고 행동하도록 우리 안에서 조금씩 일어나는 변화를 말해요. 복음이 없이는 이런 놀라운 변화들은 불가능해요. 복음을 통한 하나님의 능력으로 모든 것이 가능해지지요!

가스펠 소그룹

10~20분

나침반

두루마리 암호를 풀면

[준비물] 학생용 교재 42쪽, 연필이나 색연필

① 그림을 따라 사다리를 타고 내려가 보라고 한다.

② 그림에 맞는 단어를 넣어 고린도후서 5장 17절을 완성하게 한다.

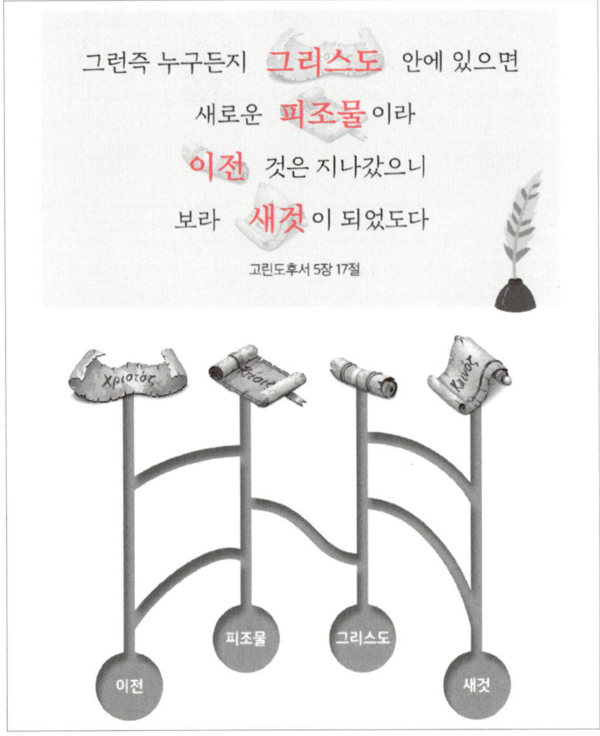

— 이 성경 구절은 우리가 더는 죄에 갇혀 있지 않고 자유롭게 되어 하나님의 영광을 위해 살게 되었다는 사실을 기억하게 해요. 예수님을 믿을 때 우리의 삶은 완전히 달라져요! 죄 때문에 죽었던 우리가 그리스도 안에서 살아나지요. 그리스도 안에 있는 사람은 모두 새로운 피조물이에요.

보물 지도

질문에 맞는 답을 준비해!

[준비물] 색인 카드, 사인펜

① 질문과 답을 각각 적은 색인 카드를 여러 세트 준비한다.

② 아이들을 2명씩 짝을 짓고, 가위바위보를 하게 한다.

③ 이긴 아이들에게는 질문 카드를, 진 아이들에게는 정답 카드를 나누어 준다.

④ 이긴 아이가 질문하면, 진 아이는 정답이 적힌 카드를 내밀어야 한다고 말해 준다.

⑤ 문제를 모두 맞히면, 서로 역할을 바꾸어 질문과 답을 하게 한다.

1 로마서, 고린도전서, 빌립보서는 어떤 종류의 글인가요?

교회에 보내는 편지

2 우리는 이 세대를 본받지 말고 오직 무엇을 새롭게 함으로 변화를 받아야 하나요? 마음 (롬 12:2)

3 즐거워하는 사람을 보면 어떻게 해야 하나요?

함께 즐거워해야 한다 (롬 12:15)

4 우는 사람을 보면 어떻게 해야 하나요?

함께 울어 주어야 한다 (롬 12:15)

5 누가 우리를 거룩하게 변화시키시나요?

성령님이 하나님의 영광을 위해 우리가 예수님을 닮아 가도록 변화시키세요.

— 바울은 하나님이 우리에게 사랑을 베푸셨다는 것과 복음으로 우리의 삶을 변화시키신다는 것을 그리스도인들이 깨닫기를 바랐어요. 우리는 그 사랑을 믿었고, 이제 변화되었어요. **하나님은 우리가 서로 아끼고 사랑하며 교제하기를 바라세요.** 이 일은 우리의 힘으로는 불가능해요. 하지만 우리는 성령님의 능력으로 할 수 있어요.

탐험하기

한 줄로 연결하기

[준비물] 학생용 교재 43쪽, 연필이나 색연필

① ♥ 속의 글자를 한 줄로 연결해 주제 문장을 완성해 보라고 한다.

② 완성한 문장을 빈칸에 적게 한다.

— 우리는 예수님을 믿는 사람에게 일어나는 변화에 관해 배우고 있어요. 이 변화는 죽은 상태였다가 생명을 갖게 되는 거예요. **하나님은 우리가 서로 아끼고 사랑하며 교제하기를 바라세요.** 그리스도인은 모두 예수님에게 속해 있어요. 예수님의 죽음과 부활로 우리는 하나가 되었어요. 하나님이 우리를 사랑하시듯이 우리도 서로를 사랑할 수 있도록 성령님은 우리의 생각과 삶을 변화시키세요.

하나님은 우리가
서로 아끼고 사랑하며
교제하기를 바라세요.

우정 벽화 그리기 *

[준비물] 전지, 사인펜, 크레파스, 스티커, 접착테이프

① 아이들에게 준비물을 나누어 준다.

② 공동 작품으로 우정을 나타내는 다양한 모습을 그림으로 표현해 보라고 한다.

예) 친구와 함께 노는 모습, 서로 돕는 모습, 함께 예배하는 모습, 함께 성경 읽는 모습, 슬픈 친구를 위로하는 모습 등.

— **하나님은 우리가 서로 아끼고 사랑하며 교제하기를 바라세요.** 우리는 수많은 방법으로 서로를 아끼고 사랑할 수 있어요. 즐거울 때는 함께 즐거워할 수 있고, 슬플 때는 슬퍼하며 기도할 수 있어요. 하나님의 사랑을 보여 주는 방법은 다양해요. 우리 힘으로는 이런 일들을 다 할 수 없지만, 하나님의 능력으로 할 수 있어요. **누가 우리를 거룩하게 변화시키시나요? 성령님이 하나님의 영광을 위해 우리가 예수님을 닮아 가도록 변화시키세요.**

함께 기도하기 *

① 아이들을 둥그렇게 앉히고, 기도가 무엇인지 왜 중요한지 설명해 준다.

② 아이들에게 기도에 관해 궁금한 점이 있는지 물어본다.

③ 아이들과 기도 제목을 나누고, 함께 기도하는 시간을 가진다.

— 기도는 하나님과 이야기하는 거예요. 생각하고 느끼는 것, 원하는 것이나 궁금한 것을 하나님께 말하는 것이 바로 기도예요. 우리가 원하는 것을 하나님께 부탁드릴 수도 있어요. 하나님은 언제나 옳은 일을 하신다는 것을 아니까요. 어쩌면 하나님이 우리가 원하는 것을 그대로 주시지 않을 수도 있어요. 하지만 하나님은 언제나 우리 기도에 응답하세요. 함께 기도하고 서로를 위해 기도할 때 우리는 하나님께 더 집중하고 서로를 향한 사랑을 표현할 수 있어요. **하나님은 우리가 서로 아끼고 사랑하며 교제하기를 바라세요.**

보물 상자

나만의 기록장

[준비물] 학생용 교재 44쪽, 연필이나 색연필

성경 이야기를 통해 알게 된 것을 글이나 그림으로 표현해 보라고 한다.

- 이 성경 이야기는 하나님이나 복음에 대해 무엇을 말하고 있나요?
- 이 성경 이야기를 통해 나에 대해 알게 된 사실은 무엇인가요?
- 이 성경 이야기에서 하나님께 더 물어보고 싶은 것이 있나요?

메시지 카드

이번 주 메시지 카드로 부모님과 함께 오늘 배운 성경 이야기를 나누어 보라고 한다.

기도

하나님, 하나뿐인 아들 예수님을 보내 우리를 죄에서 구원해 주셔서 감사합니다. 또한, 우리를 혼자 두지 않으시고 성령님을 보내 주셔서 감사합니다. 우리 안에 계신 성령님의 인도하심에 따라 하나님께 영광 돌리는 삶을 살 수 있도록 도와주세요. 예수님의 이름으로 기도합니다. 아멘.

8

성령의 열매를 맺어요

갈 5:16~26

단원 암송

그런즉 누구든지 그리스도 안에 있으면
새로운 피조물이라 이전 것은 지나갔으니
보라 새것이 되었도다(고후 5:17).

성경의 초점

누가 우리를 거룩하게 변화시키시나요?
성령님이 하나님의 영광을 위해 우리가
예수님을 닮아 가도록 변화시키세요.

본문 속으로

예수님을 믿을 때 우리는 하나님의 자녀가 되고 복음은 우리를 변화시킵니다. 생각이 바뀌면 하나님이 무엇을 기뻐하시는지, 하나님의 뜻이 무엇인지 알게 됩니다. 그러나 복음으로 인한 변화는 그 정도에 머물지 않습니다. 복음은 우리의 삶을 변화시킵니다.

바울은 갈라디아 성도들에게 보내는 편지에서 육체의 열매를 묘사했습니다. 그것은 그리스도를 떠난 사람의 모습을 말합니다. 분노, 시기, 이기심, 부도덕, 분쟁과 같은 것들입니다. 바울은 이렇게 사는 사람은 하나님 나라에 들어가지 못한다고 말했습니다. 이런 행동을 보면 그 사람의 마음이 어떤 상태인지 알 수 있습니다. 이런 행동들은 죄가 가득한 마음에 맺히는 열매입니다.

그런 다음 바울은 갈라디아 성도들에게 하나님이 사람들의 삶 속에서 일하시는 것을 알아보는 방법을 알려 줍니다. 그는 육체의 열매와 성령의 열매를 대조해 설명합니다. 성령의 열매는 그리스도 안에 있는 사람의 모습입니다. 사랑, 희락, 화평, 오래 참음, 자비, 양선, 충성, 온유, 절제가 바로 그것들입니다. 이런 열매들은 그리스도로 인해 마음이 변화된 사람에게 맺힙니다.

티칭 포인트

성령의 열매들은 우리 안에서 일하시는 성령님이 맺으시는 것이라고 아이들에게 설명해 주십시오. 그래서 '그리스도인의 열매'가 아니라 '성령의 열매'라고 부른다고 말해 주십시오. 성령의 열매에 대한 우리의 응답은 더 사랑하고 기뻐하고 평화롭게 지내고 친절을 베풀 방법을 찾아내는 것이 아닙니다. 그것은 이런 열매들을 우리 스스로 맺을 수 있다고 잘못 생각하는 것입니다! 예수님을 믿을 때 성령님이 우리를 변화시키기 시작하십니다. 우리는 성령님이 우리를 더 사랑하고 기뻐하며 온유하고 친절한 사람으로 변화시키시도록 응답해야 합니다. 구원받은 사람은 점점 더 예수님을 닮아 갑니다. 그리고 성령님은 우리가 죄를 거부하고 하나님이 기뻐하시는 모습으로 살아갈 수 있도록 능력을 주십니다. 성령의 열매는 복음으로 인한 진정한 변화를 보여 줍니다.

주 제

성령님은 우리가 예수님을 닮아 가도록 우리의 생각과 행동을 변화시키세요.

가스펠 링크

바울은 갈라디아 성도들에게 성령님의 인도하심을 따르면 죄를 거부하고 하나님이 기뻐하시는 삶을 사는 성령의 열매를 맺게 된다고 알려 주었어요.

성령의 열매를 맺어요 갈 5:16~26

바울이 갈라디아에 있는 성도들에게 편지를 썼어요. 갈라디아는 로마 제국에 속한 지역으로, 그곳 성도들은 대부분 유대인이 아닌 이방인이었어요. 바울은 하나님이 예수님을 믿는 사람들을 변화시키신다고 말했어요. 하나님은 그들에게 성령님을 주세요. 성령님은 그리스도인을 옳은 길로 인도하시고 예수님을 닮아 갈 능력을 주시지요. 바울은 편지에서 성령님이 우리의 생각과 행동을 바꾸신다고 말했어요. 성령님이 우리를 이끄시면 우리가 하나님의 뜻대로 살게 될 것이라는 사실을 그들이 알기를 바랐어요.

죄의 다스림을 받는 사람은 그릇된 길로 가요. 미움, 시기, 분노, 이기심, 욕심이 생기지요. 서로 다투고 문제에 휩싸이게 되어요. 이렇게 사는 사람은 하나님 나라에 들어가지 못해요. 그러나 예수님은 우리를 죄의 권세에서 풀어 주셨어요. 또 성령님은 우리 안에 계시면서 옳은 일을 할 수 있는 능력을 주세요. 성령님이 다스리는 사람은 사랑, 희락(기쁨), 화평, 오래 참음, 자비(친절), 양선(선함), 충성(신실), 온유, 절제를 선택해요. 이런 행동은 성령의 열매예요. 성령님이 그 사람 안에 계신다는 증거이지요. 건강한 나무가 좋은 열매를 맺는 것처럼 말이에요.

바울은 예수님을 믿는 사람은 더는 자신의 기쁨을 위해 살지 않는다고 말했어요. 성령님은 우리에게 미움, 시기, 분노, 이기심, 욕심 같은 것들을 거부할 능력을 주세요. 예수님을 알면 알수록 우리는 점점 더 기쁨, 친절, 절제 같은 행동을 선택하게 되지요. 하나님이 기뻐하시는 삶을 살고 싶어지는 거예요. 우리 안에 계시는 성령님이 우리를 인도하세요.

가스펠 링크

예수님을 믿고 의지할 때 성령님은 우리를 변화시키세요. 바울은 갈라디아 성도들에게 성령님의 인도하심을 따르면 죄를 거부하고 하나님이 기뻐하시는 삶을 사는 성령의 열매를 맺게 된다고 알려 주었어요. 예수님을 믿고 구원받은 사람은 점점 예수님을 닮아 가요. 그리고 성령님은 죄를 거부하고 하나님이 기뻐하시는 삶을 살 수 있는 능력을 주세요.

가스펠 준비

10~20분

환영

도착하는 아이들을 반갑게 맞이하고 헌금, 출석, QT 등을 확인하며 격려한다. 새 친구가 있다면 소개한다. 편안한 분위기에서 안부를 물으며 오늘의 말씀과 관련된 화제로 이야기를 나눈다. 아이들에게 열매 맺는 나무와 열매를 맺지 않는 나무는 어떤 것들이 있는지 물어본다. 자발적으로 대화에 참여하도록 이끈다.

예) "열매 맺는 나무의 종류를 얼마나 알고 있나요?", "열매를 맺지 않는 나무는 어떤 것이 있나요?" 등.

— 나무에 열매가 맺히지 않는다면 무슨 나무인지 알아보기 어려울 거예요. 열매를 맺는 나무가 훨씬 구별하기 쉽지요. 오늘은 예수님을 따를 때 우리 삶에 맺히는 '열매'에 관해 이야기해 볼 거예요. 삶에 열매가 맺힌다는 것은 과연 무슨 뜻일까요?

마음 열기

과일 이름 말하기 *

[준비물] 종이, 연필, 스톱워치

① 아이들을 2팀으로 나누고, 각 팀에 종이와 연필을 나누어 준다.

② 아이들에게 인도자가 말하는 특징을 가진 과일을 40초 안에 최대한 많이 적어 보라고 한다.

예) 빨간색 과일, 둥근 과일, 껍질을 벗겨 먹는 과일, 씨가 바깥에 있는 과일 등.

③ 시간이 되면 팀별로 과일 이름을 발표하게 한다. 더 많은 이름을 쓴 팀이 이긴다.

TIP 아이들이 읽거나 쓸 수 없는 경우, 팀별로 과일 이름 말하기를 해도 좋다.

— 이렇게 다양한 과일을 생각해 내다니 정말 대단해요! 그런데 수많은 과일 중에 오늘 성경 이야기에 나오는 열매는 보이지 않는 것 같아요. 분명 과일이란 과일은 다 적은 것 같은데 말이에요. 오늘 성경 이야기 속에 나오는 열매는 어떤 열매일까요?

바구니에 과일 던지기 *

[준비물] 바구니 2개, 장난감 과일 여러 개

① 아이들을 2팀으로 나누고, 예배실 한쪽에 팀별로 줄을 세운다.

② 각 팀에서 2m 정도 떨어진 곳에 바구니를 하나씩 둔다.

③ 양 팀에 장난감 과일을 한 무더기씩 주고, 한 사람씩 자기 팀 바구니에 던지게 한다.

④ 모든 과일을 바구니에 먼저 넣는 팀이 이긴다.

TIP 장난감 과일 대신 콩 주머니에 과일 그림을 붙여 사용해도 좋다.

— 우와, 정말 많이 넣었네요! 오늘 성경 이야기에서는 여러분이 던지거나 먹을 수 없는 열매에 관해 이야기를 나눌 거예요. 이 열매의 이름은 '성령의 열매'예요. '성령의 열매'는 어떻게 생겼을까요?

교사를 위한 기록장 이 과를 준비하면서 깨닫게 된 묵상을 정리해 보세요.

· 하나님이나 나에 대해 새롭게 알게 된 것은?

· 기억해야 할 하나님의 말씀은?

· 아이들에게 전하고 싶은 메시지는?

가스펠 설교

15~30분

들어가기

[준비물] 작업복, 공구 벨트, 보안경, 베개, 야구 모자

작업복을 입고, 공구 벨트를 허리에 차고 들어온다. 보안경을 착용하고, 뒤에 베개를 붙인 야구 모자를 쓰고 있다.

여러분, 안녕하세요! 다시 만나서 정말 반가워요! 오늘 제 모습을 보고 무언가 다른 점을 눈치챈 사람 있나요? 아이들의 대답을 기다린다. 그렇지요! 저는 지금 새로운 발명품을 착용하고 있어요. 바로 '베개 모자'입니다! 저는 발명가이다 보니 새로운 장치를 만드느라 밤늦게까지 일하는 경우가 많아요. 그만큼 피곤할 때가 많지요. 제가 이 멋진 모자를 발명한 것은 기회가 생길 때마다 조금씩 잠을 자기 위해서랍니다.

발명가의 좋은 점은 오래된 것을 새롭고 놀라운 것으로 바꿀 수 있다는 거예요. 어떻게 보면 성령님과 비슷해요. 예수님을 믿을 때 우리는 새로운 피조물이 되고 성령님이 우리를 놀랍게 변화시키기 위해 일하기 시작하시니까요!

연대표

2주 전에 하나님이 우리를 하나님의 자녀로 삼으신 이야기를 나누었어요. **하나님은 예수님을 믿는 우리를 하나님의 자녀로 삼으세요.** 지난주에는 우리 마음의 변화에 관해 배웠지요. **하나님은 우리가 서로 아끼고 사랑하며 교제하기를 바라세요.** 이번 주에는 예수님을 따를 때 성령님이 우리 삶에 일으키시는 마음의 변화에 관해 배울 거예요. 연대표에서 오늘의 성경 이야기를 가리킨다. 오늘 성경 이야기의 제목은 "성령의 열매를 맺어요"예요.

성경의 초점

사실 '성경의 초점'의 질문과 답도 바로 이 점을 이야기하고 있답니다. 혹시 2단원 '성경의 초점'을 기억하는 사람 있나요? 아이들의 대답을 기다린다. 잘했어요! 우리 함께 말해 보아요. **누가 우리를 거룩하게 변화시키시나요? 성령님이 하나님의 영광을 위해 우리가 예수님을 닮아 가도록 변화시키세요.**

우리가 예수님을 믿고 의지할 때 두 가지 변화가 일어나요. 첫 번째는 '칭의'라고 하는데, 이 변화는 즉시 일어나요. 칭의는 하나님이 예수님의 의로 말미암아 우리를 의롭다고 선언하신 것을 말해요. 두 번째는 시간을 두고 서서히 일어나는 변화인 '성화'예요. 성화는 우리 마음속에서 일하시는 성령님으로 인해 날마다 조금씩 예수님을 닮아 가는 것을 말하지요.

성경 이야기

DVD 갈라디아서 5장 16~26절을 펴고, 설교 영상(지도자용 팩)을 보여 주거나 이야기 성경을 들려준다. 화이트보드에 나무와 열매, 바닥에 떨어져 있는 열매를 그려 놓는다. 나무 위에 있는 열매에는 '성령의 열매'를 적고, 바닥에 떨어져 있는 열매에는 '육체의 일(음행, 정욕, 탐심, 욕심 등)'을 써 놓는다. 성경 이야기를 하다가 성령의 열매가 나오면 해당 단어를 가리킨다.

오늘 성경 이야기에는 여러분이 생각하는 사과, 오렌지, 바나나 같은 열매는 나오지 않아요. 성경은 과일을 예로 들어서 성령님이 우리 안에서 일하시는 모습을 쉽게 설명해요. 성령님이 우리 안에서 일하시면 진짜 열매 대신 사랑, 희락(기쁨), 화평, 오래 참음, 자비(친절), 양선(선함), 충성(신실), 온유, 절제라는 열매가 열리지요. 왜 이런 특징들을 '성령의 열매'라고 부를까요?

예를 들어 볼게요. 만약 사과 씨를 심으면, 무슨 나무가 자랄까요? 아이들의 대답을 기다린다. 너무 쉬운 질문이었지요? 사과 씨에서는 사과나무가 자라요. 그럼 사과나무에는 어떤 열매가 맺힐까요? 아이들의 대답을 기다린다. 맞았어요. 사과예요. 만약 사과 대신 복숭아를 심으면, 그래도 사과나무가 자랄까요? 당연히 아니지요! 복숭아나무가 자랄 거예요.

바울이 사랑, 희락, 화평, 오래 참음, 자비, 양선, 충성, 온유, 절제를 성령의 열매라고 말하는 이유는 예수님을 믿고 의지하면 성령님이 우리 삶 속에 그런 성품이 열매처럼 자라게 하시기 때문이에요. 예수님은 누군가가 진짜로 예수님을 따르는지 아닌지 알아보려면 그의 삶이 어떤 모습인지 보면 알 수 있다고 말씀하셨어요(마 7:15~20 참조).

성령님은 우리가 예수님을 닮아 가도록 우리의 생각과 행동을 변화시키세요. 사과나무가 열매를 맺기까지 시간이 걸리는 것처럼 우리가 믿음 안에서 자라는 데도 시간이 필요해요. 하지만 복음의 '씨앗'이 우리 삶 속에서 자란다면, 사랑, 희락, 화평, 오래 참음, 자비, 양선, 충성, 온유, 절제와 같은 성령의 열매를 맺어요.

가스펠 링크

예수님을 믿고 의지할 때 성령님은 우리를 변화시키세요. 바울은 갈라디아 성도들에게 성령님의 인도하심을 따르면 죄를 거부하고 하나님이 기뻐하시는 삶을 사는 성령의 열매를 맺게 된다고 알려 주었어요. 예수님을 믿고 구원받은 사람은 점점 예수님을 닮아 가요. 그리고 성령님은 죄를 거부하고 하나님이 기뻐하시는 삶을 살 수 있는 능력을 주세요.

복음 초청

성경과 21쪽 복음 초청 가이드를 이용해서 아이들에게 그리스도인이 되는 법을 설명해 준다. 따로 상담해 줄 사람을 정해 주고 궁금한 점이 있으면 물어보도록 격려한다.

이 시간 예수님을 마음에 모시고 싶은 친구는 함께 기도해요.

기도

하나님, 우리에게 예수님을 믿는 믿음을 주시고, 성령님을 보내 주셔서 감사합니다. 우리 안에 성령의 열매가 무럭무럭 자라게 해 주시고, 날마다 예수님을 닮아 갈 수 있도록 도와주세요. 하나님의 말씀을 읽고 순종하며 살아가는 하나님의 자녀가 되도록 성령님 인도해 주세요. 예수님의 이름으로 기도합니다. 아멘.

적용

TIP 설교 도입이나 적용으로 활용하거나 영상을 본 뒤 소그룹으로 나누어 풍성한 대화를 이어 갈 수 있습니다.

우리가 어떤 물건을 알아보는 방법은 어떤 것들이 있을까요? 오늘의 영상을 보며 함께 생각해 보아요.

DVD 적용 예화 영상(지도자용 팩)을 보여 준 후, 다음의 질문으로 이야기를 나눈다.

1. 영상에 나온 각 물건이 무엇인지 어떻게 알아냈나요?
2. 가장 도움이 되는 단서는 무엇이었나요?
3. 예수님을 믿는 사람과 그렇지 않은 사람에게는 어떤 차이점이 있어야 할까요?
4. 그런 차이가 여러분의 삶에 나타나나요?

우리가 예수님을 믿으면 하나님은 우리 죄를 용서하시고 우리를 새로운 피조물로 만들어 주세요. 성령님은 우리 안에 계시면서 사랑, 희락, 화평, 오래 참음, 자비, 양선, 충성, 온유, 절제의 열매를 맺으세요. 이런 마음들은 어느 날 갑자기 한꺼번에 생기는 것이 아니에요. 복음은 오히려 시간을 두고 이런 마음들이 점점 드러나게 하지요.

가스펠 소그룹

10~20분

나침반

둥글게 둥글게

[준비물] 2단원 암송(111쪽)

① 아이들을 둥그렇게 앉힌다.

② 인도자가 한 아이를 지목하면 지목된 아이는 암송 구절에 한 구절을 말하라고 한다.

③ 첫 어절을 말한 아이가 다음 아이를 지목하면, 지목된 아이에게 다음 어절을 말한 뒤 다른 아이를 지목하라고 한다.

④ 같은 아이를 지목할 수 없고 모두가 한 어절씩 말할 수 있게 한다.

— 바울은 고린도 성도들의 삶에 나타나는 죄는 하나님의 뜻에 어긋나는 것이라는 사실을 그들이 깨닫기를 바랐어요. 그리고 그들이 복음의 의미를 완전히 이해하지 못했다는 것도 알려 주었지요. 예수님을 믿는 사람은 모두 새로운 피조물이에요.

보물 지도

성령의 열매

[준비물] 학생용 교재 48쪽, 79쪽 '성령의 열매 카드', 연필이나 색연필, 가위

① 성령의 열매에는 어떤 것들이 있는지 물어본 후 각 열매에 대해 설명해 주고, 자신의 말로 외우게 한다.

② 79쪽의 '성령의 열매 카드'를 오리라고 한다.

③ 아이들이 자른 카드를 모아서 뒤집어 놓는다.

④ 번갈아 가며 2장씩 뽑게 하고, 같은 그림을 뽑으면 그 열매에 대해 설명을 한 후 카드를 가져갈 수 있다고 말해 준다.

⑤ 카드가 없어질 때까지 진행하고, 카드를 많이 가진 아이가 이긴다.

⑥ 놀이를 통해 9가지 성령의 열매를 외울 수 있도록 도와준다.

— 사랑, 희락(기쁨), 화평, 오래 참음, 자비(친절), 양선(선함), 충성(신실), 온유, 절제는 성령의 열매에요. **성령님은 우리가 예수님을 닮아 가도록 우리의 생각과 행동을 변화시키세요.** 바울은 갈라디아 성도들에게 하나님이 사람들의 삶 속에서 일하시는 것을 알아보는 방법을 알려 주었어요. 그리스도인은 점점 예수님을 닮아 성령의 열매를 맺게 된다고 말했어요.

탐험하기

누가 우리를

[준비물] 학생용 교재 49쪽, 연필이나 색연필

① 성령의 열매를 맺을 수 있도록 우리를 변화시키는 분은 누구이신지 물어본다.

② 열매의 단면을 찾는 암호를 풀어 '성경의 초점'을 완성해 보라고 한다.

③ 성령님으로 우리의 생각과 마음이 변화되어 어떤 성령의 열매를 맺고 싶은지 이야기를 나눈다.

누가 우리를 거룩하게 ___변화___ 시키시나요?

___성령님___ 이 ___하나님___ 의 ___영광___ 을 위해

우리가 ___예수님___ 을 닮아 가도록 ___변화___ 시키세요.

— **누가 우리를 거룩하게 변화시키시나요? 성령님이 하나님의 영광을 위해 우리가 예수님을 닮아 가도록 변화시키세요.** 성령의 열매는 예수님을 믿을 때 성령님이 우리 삶에 드러나게 하시는 마음과 태도를 나타내요. 성령의 열매는 예수님을 사랑하고 그분 안에 있어야 맺을 수 있어요. 늘 예수님 안에 있게 해 달라고 기도해요.

성령의 열매만 맺어요 *

[준비물] 종이컵, 사인펜, 탁자, 스톱워치

① 종이컵 바닥에 9가지 성령의 열매와 다른 성품(시기, 질투, 미움, 분노 등)들을 각각 적어, 2세트를 준비한다.

② 아이들을 2팀으로 나누고, 각 팀 앞에 탁자를 하나씩 둔 다음 그 위에 종이컵을 올려 놓는다.

③ 인도자가 "시작!"이라고 외치면, '성령의 열매'만 놓고 나머지 컵을 책상 아래로 떨어뜨리라고 한다.

④ 성령의 열매만 남기고 나머지 성품을 다 떨어뜨린 팀이 이긴다.

— 우리에게는 '성령의 열매'만 가득한 것이 아니에요. 시기, 질투, 미움, 분노, 비교하는 마음 등 다른 열매들도 있지요. 하지만 우리는 예수님을 믿는 그리스도인으로서 예수님을 닮아 가야 해요. 이전과는 다른 모습으로 자라야 해요. **성령님은 우리가 예수님을 닮아 가도록 우리의 생각과 행동을 변화시키세요.** 조금 느릴지라도 매일 매일 조금씩 예수님을 닮아 가는 우리가 되길 바라요.

성령의 열매를 맺는 나무 *

[준비물] 전지, 매직, 접착테이프, 종이 접시, 사인펜

① 전지에 커다란 나무를 그리고, 나무 기둥에 주제 문장을 써 둔다.

② 아이들에게 종이 접시와 사인펜을 나누어 주고, '성령의 열매' 중 어떤 열매를 맺고 싶은지 써 보라고 한다.

③ 완성한 열매를 접착테이프를 이용해 나무 위에 붙이게 한다.

— 오늘 만든 작품을 보면 과일나무가 열매를 맺듯이 그리스도인은 날마다 예수님을 닮아 가야 한다는 점을 기억할 수 있을 거예요. 성령님은 우리 안에 계시며 사랑, 희락, 화평, 오래 참음, 자비, 양선, 충성, 온유, 절제의 열매를 맺게 하세요. 그리고 하나님께 순종하고 싶은 마음과 순종할 수 있는 능력을 주시지요. **누가 우리를 거룩하게 변화시키시나요? 성령님이 하나님의 영광을 위해 우리가 예수님을 닮아 가도록 변화시키세요.**

좋은 열매, 나쁜 열매 *

[준비물] 성경, 화이트보드, 보드마커

① 갈라디아서 5장 16~26절을 읽은 후, 아이들에게 성령의 열매와 육체의 열매에 대해 설명해 준다.

② 화이트보드에 한쪽에는 '좋은 열매'라고 쓰고, 다른 쪽에는 '나쁜 열매'라고 쓴다.

③ 아이들에게 성령의 열매와 육체의 열매에 관해 말해 보라고 한다. 각 열매에 해당하는 생각이나 행동은 어떤 것들이 있는지 이야기를 나눈다.

④ 이야기를 나누는 동안 나온 내용을 해당하는 칸에 정리한다.

— 죄의 다스림을 받는 사람은 하나님의 나라에 들어 갈 수 없어요. 예수님을 믿으면 성령님이 우리 삶 속에서 일하기 시작하세요. 믿음이 자랄수록 우리 마음은 하나님이 기뻐하시는 것을 원하게 되지요. 시간이 흐를수록 죄에 물든 우리의 습관은 사라지고 예수님을 닮아 가는 모습이 나타나기 시작할 거예요. 성령님은 죄를 거부하고 하나님이 기뻐하시는 삶을 살 수 있는 능력을 주세요.

보물 상자

나만의 기록장

[준비물] 학생용 교재 50쪽, 연필이나 색연필

성경 이야기를 통해 알게 된 것을 글이나 그림으로 표현해 보라고 한다.

- 이 성경 이야기는 하나님이나 복음에 대해 무엇을 말하고 있나요?
- 이 성경 이야기를 통해 나에 대해 알게 된 사실은 무엇인가요?
- 이 성경 이야기에서 하나님께 더 물어보고 싶은 것이 있나요?

메시지 카드

이번 주 메시지 카드로 부모님과 함께 오늘 배운 성경 이야기를 나누어 보라고 한다.

기도

하나님, 하나뿐인 아들 예수님을 우리에게 보내 주셔서 감사합니다. 예수님을 믿으면 성령님이 우리 삶 속에서 일하기 시작하신다는 것을 배웠습니다. 우리 믿음이 더욱더 단단해지고 매일 조금씩 예수님을 닮아 가도록 성령님 인도해 주세요. 우리의 삶에 성령의 열매가 맺히도록 도와주세요. 예수님의 이름으로 기도합니다. 아멘.

9

하나님의 전신 갑주를 입어요

엡 6:10~19

단원 암송

그런즉 누구든지 그리스도 안에 있으면
새로운 피조물이라 이전 것은 지나갔으니
보라 새것이 되었도다(고후 5:17).

성경의 초점

누가 우리를 거룩하게 변화시키시나요?
성령님이 하나님의 영광을 위해 우리가
예수님을 닮아 가도록 변화시키세요.

본문 속으로

바울은 예수님을 따르는 일이 힘들다는 것을 잘 알았습니다. 다메섹으로 가는 길에 예수님을 만난 후 바울의 인생은 완전히 뒤바뀌었고, 그는 이전과 전혀 다른 사람이 되었습니다. 바울은 회심 전에 그토록 부정하고 저항했던 바로 그 복음을 전파하기 위해 고군분투했습니다. 그는 고난을 겪는 데 남은 생을 바쳤습니다.

에베소 성도들에게 편지를 쓸 당시 바울은 감옥에 있었습니다. 그는 성도의 삶이 전투라는 사실을 몸소 체험한 사람이었습니다. 그것도 현재진행형 전투였습니다. 하지만 바울은 그 전투가 자신을 감옥에 넣은 로마인이나 복음에 반대하는 사람들을 상대하는 것이라고 생각하지 않았습니다. 인생은 악과의 전투입니다.

바울은 편지 말미에서 악과의 영적 전쟁에서 어떤 준비를 해야 하는지를 로마 군인의 갑옷에 빗대어 설명했습니다. 그리스도인은 어디를 가든지 하나님의 진리, 의, 평화를 지녀야 합니다. 마찬가지로 믿음, 구원, 하나님의 말씀을 굳게 붙들어야 합니다. 이러한 하나님의 갑옷으로 완전히 보호를 받는다면 우리는 어떤 전투도 능히 치를 준비가 된 것입니다.

바울은 성도들에게 하나님의 갑옷을 입을 뿐만 아니라 항상 기도할 것을 촉구했습니다. 그는 아무리 하나님의 갑옷을 잘 갖추어 입는다고 해도 우리를 보호하시고 전쟁에서 승리하게 하시는 분은 하나님이심을 믿어야 한다는 것을 알려 주고 싶었습니다.

●● 티칭 포인트

아이들에게 악에 맞서 싸울 수 있도록 하나님이 주신 것이 무엇인지 모두 알려 주십시오. 하나님은 결코 우리 자신의 힘으로 싸우기를 바라지 않으십니다. 하나님의 힘을 의지하기를 바라십니다. 인생은 어려울 수 있고 늘 악에 맞서 싸울 준비를 해야 합니다. 그러나 예수님이 죽음과 부활로 이미 그 전쟁에서 승리하셨기 때문에 우리가 결국 승리할 것임을 아이들에게 설명해 주십시오.

주 제

우리는 하나님의 전신 갑주를 입고 악에 맞서 싸워요.

가스펠 링크

예수님이 전쟁에서 악을 이기셨다는 것을 알기 때문에 우리도 악에 맞서 싸울 수 있어요.

하나님의 전신 갑주를 입어요 엡 6:10~19

"강해지십시오! 하나님은 강한 분이시니 여러분에게 힘을 주실 것입니다." 바울은 에베소 교회에 보내는 편지에서 이렇게 말했어요. 이 편지를 쓸 때 바울은 로마에 있는 감옥에 갇혀 있었어요. 그는 그리스도인의 삶이 쉽지 않다는 것을 몸소 겪어 잘 알고 있었어요. 사실 그리스도인의 삶은 힘겨운 전투와 같아요. 게다가 이 싸움은 사람들을 상대로 하는 것이 아니에요. 악에 맞서 싸우는 영적 전쟁이에요.

바울은 성도들에게 영적 전쟁에 필요한 것을 알려 주었어요. "하나님의 전신 *갑주로 무장하십시오. 그래야만 여러분을 속이려는 사탄에 맞서 싸울 수 있습니다." 바울은 전투 준비의 중요성에 관해 썼어요. 악에 맞서 싸우는 데 필요한 모든 것을 하나님이 주신다고 말했어요. 악은 강하지만, 하나님은 더 강하세요. 우리는 하나님이 주신 전신 갑주를 입어야 해요.

첫째, 진리의 허리띠를 매어요. 하나님은 자신이 어떤 분인지 말씀을 통해 알려 주셨어요. 그래서 우리는 진리가 무엇인지 알아요. 진리는 거짓에 맞서요.

둘째, 의의 호심경(흉배)을 가슴에 붙여요. 예수님을 믿을 때 하나님은 우리를 의롭게 하세요. 의는 옳은 것을 위해 옳은 일을 하는 거예요.

셋째, 복음을 전할 준비를 하듯이 발에는 평안의 복음의 신을 신어요. 하나님이 우리를 위해 하신 일은 참으로 기쁜 소식이에요! 우리는 언제든지 다른 사람에게 복음을 전할 준비가 되어 있어야 해요.

넷째, 믿음의 방패를 가져요. 악한 자의 공격에서 자신을 보호하려면 어디를 가든지 믿음을 가져야 해요. 사탄은 우리가 하나님을 의심하거나 진리가 아닌 것을 믿도록 유혹해요. 하나님은 우리가 하나님을 믿으며 하나님께 순종할 수 있도록 믿음을 주세요.

마지막으로, 구원의 투구와 성령의 검을 가져요. 투구는 머리를 보호해요. 하나님이 우리를 구원하셨다는 사실을 언제나 기억해야 해요. 검은 적을 물리칠 때 필요해요. 하나님의 말씀인 성경은 강력한 검이에요! 성경은 우리에게 진리가 무엇인지 알려 주고, 성령님은 우리가 말씀대로 살 수 있도록 도와주세요.

그러나 전신 갑주를 입었다고 해서 끝난 것이 아니에요. 기도해야 해요. 우리가 기도할 때 하나님은 어떻게 전투를 준비하고 어떻게 하나님을 위해 살아야 하는지 알게 해 주세요. 바울은 "여러 성도를 위해 기도하는 일을 멈추지 마십시오"라고 말했어요. 그는 에베소 성도들이 자신을 위해 기도해 주기를 바랐어요. 예수님에 관한 복음을 두려움 없이 용감하게 전할 수 있도록 하나님이 도와주시도록 말이에요.

*갑주 : 갑옷과 투구를 아울러 이르는 말

가스펠 링크

바울은 그리스도인들에게 날마다 영적 전쟁을 준비해야 한다고 말했어요. 우리는 하나님을 대적하는 자와 권세들과 맞서 싸워요. 하지만 예수님은 십자가에서 죽으시고 다시 살아나셨어요. 악을 이기셨지요. 예수님이 전쟁에서 악을 이기셨다는 것을 알기 때문에 우리도 악에 맞서 싸울 수 있어요.

가스펠 준비 10~20분

환영

도착하는 아이들을 반갑게 맞이하고 헌금, 출석, QT 등을 확인하며 격려한다. 새 친구가 있다면 소개한다. 편안한 분위기에서 안부를 물으며 오늘의 말씀과 관련된 화제로 이야기를 나눈다. 아이들이 참여하는 활동 중에 보호 장비를 착용해야 하는 것이 있는지 물어본다. 자발적으로 대화에 참여하도록 이끈다.

예) "참여하는 활동 중에 보호 장비를 착용해야 하는 것이 있나요?", "어떤 장비를 착용하나요?" 등.

— 자전거나 스케이트보드를 탈 때는 반드시 보호대와 헬멧을 착용해야 해요. 뜨거운 햇빛 아래에서 놀 때는 화상을 입지 않도록 자외선 차단제를 발라야 하고요. 오늘 성경 이야기는 우리에게 꼭 필요한 보호 장비에 관해 말해요. 무엇을 할 때 필요한 보호 장비까요?

마음 열기

보호 장비 설명하기 *

[준비물] 보호 장비(헬멧, 장갑, 선글라스, 보안경 등)

① 다양한 보호 장비를 준비해 둔다.

② 아이들에게 보호 장비들을 직접 착용해 보거나 자세히 관찰하게 한다.

③ 각 장비의 용도는 무엇인지, 언제 사용하면 좋을지 이야기를 나눈다.

— 이 물건들은 모두 우리를 다치게 하는 무언가로부터 보호해 주는 것이에요. 하지만 이 중 어느 것도 영적인 위험에서 우리를 보호하지는 못해요. 그래서 하나님은 우리에게 아주 특별한 갑옷을 주셨어요. 하나님이 주신 갑옷은 어떤 것일까요?

갑옷 이름 배우기 *

DVD **[준비물] '하나님의 전신 갑주'(지도자용 팩), 콩 주머니**

① 지도자용 팩에서 '하나님의 전신 갑주'를 출력해 둔다.

② 그림을 예배실 바닥에 놓고, 아이들을 한 줄로 세운다.

③ 아이들에게 한 명씩 차례대로 콩 주머니를 그림 위로 던지라고 한다.

④ 콩 주머니가 떨어진 부위의 이름을 인도자가 외치면 아이들이 따라 외치게 한다.

— 오늘은 갑옷의 여러 부위에 관해 배울 거예요. 이것은 하나님을 반대하는 사람과 악에 맞서 당당하게 싸울 수 있도록 하나님이 우리에게 주시는 특별한 갑옷이에요.

교사를 위한 기록장 이 과를 준비하면서 깨닫게 된 묵상을 정리해 보세요.

· 하나님이나 나에 대해 새롭게 알게 된 것은?

· 기억해야 할 하나님의 말씀은?

· 아이들에게 전하고 싶은 메시지는?

가스펠 설교

15~30분

들어가기

[준비물] 작업복, 공구 벨트, 보안경, 손목시계, 장갑

작업복을 입고, 공구 벨트를 허리에 차고 들어온다. 보안경을 착용하고, 손목 부위에 손목시계를 붙인 장갑 한 켤레를 들고 있다.

어린이 여러분, 안녕하세요! 오늘도 잘 찾아와 주었군요. 참 잘 됐어요. 안 그래도 여러분에게 보여 줄 새 발명품이 있거든요. 손목시계를 붙인 장갑을 낀다. 이것은 제가 특별하게 바꾼 안전 장갑이에요. 저는 이것저것 땜질을 할 때 손을 보호하기 위해 장갑을 껴요. 그런데 문제는 장갑을 끼면 시간을 확인할 수가 없다는 거예요.

보다시피 장갑이 손목시계를 가려서 볼 수가 없지요? 그래서 장갑을 벗고 일을 하다가 날카로운 플라스틱 조각에 손가락을 베었지 뭐예요. 어떻게 하면 좋을까 고민하다가, 바로 이렇게 해결했지요! 보세요! 시계가 장갑 바깥쪽에 있지요? 이제 일하면서도 시간을 확인할 수 있어요. 이 발명품의 이름은 '째깍째깍 장갑'이랍니다!

저는 작업을 할 때 보호 장비를 많이 사용해요. 예를 들어 이 보안경은 눈에 먼지나 티끌이 들어가는 것을 막아 주지요. 필요에 따라 조금씩 고친 것들도 있는데, 모두 아주 성능이 좋아요.

연대표

우리는 하나님의 자녀예요

마음을 새롭게 해 변화를 받아요

성령의 열매를 맺어요

하나님의 전신 갑주를 입어요

연대표에서 지난 성경 이야기들을 가리킨다. 그동안 우리는 신약성경에 있는 편지들을 통해 예수님을 믿으면 하나님이 우리를 변화시키신다는 사실을 배웠어요. 지난주에는 **성령님은 우리가 예수님을 닮아 가도록 우리의 생각과 행동을 변화시키신다**는 것을 배웠지요. 그리스도인의 삶에 맺히는 성령의 열매가 바로 변화의 증거예요. 오늘 성경 이야기는 우리를 지키기 위해 하나님이 주시는 전신 갑주에 관한 이야기예요. 그리스도인은 전투에 나가요. 하지만 이 전투는 사람과 싸우는 전투가 아니에요. 악한 세력과 싸우는 전투이지요. 연대표에서 오늘의 성경 이야기를 가리킨다. 오늘 성경 이야기의 제목은 "하나님의 전신 갑주를 입어요"랍니다.

성경의 초점

예수님을 믿고 의지할 때 변화가 일어난다고 했어요. 하나님이 의롭다고 선언하시는 '칭의'와 우리 안에서 일하시는 성령님으로 인해 변화되는 '성화'예요.

'성경의 초점'을 기억하고 있나요? 아이들의 대답을 기다린다. 잘했어요! 함께 말해 봅시다. **누가 우리를 거룩하게 변화시키시나요? 성령님이 하나님의 영광을 위해 우리가 예수님을 닮아 가도록 변화시키세요.**

성경 이야기

DVD 에베소서 6장 10~19절을 펴고, 설교 영상(지도자용 팩)을 보여 주거나 이야기 성경을 들려준다. '하나님의 전신 갑주'(지도자용 팩)를 출력해 화이트보드에 붙인다. 전신 갑주를 설명할 때 각 부분을 가리키며 설명한다. 또는 대형으로 출력해 자원하는 아이의 몸에 직접 붙이며 설명해도 좋다.

지난주에는 눈에 보이지 않는 열매에 관한 이야기를 했는데, 이번 주에는 눈에 보이지 않는 갑옷 이야기가 나와요. 하나님이 주시는 전신 갑주는 들고 다니거나 입을 수 있는 갑옷이 아니에요.

바울이 전신 갑주 이야기를 한 것은 그리스도인에게 베푸시는 하나님의 보호를 설명하기 위해서였어요. 진리, 의, 복음, 믿음, 구원, 성령 같은 것이 우리를 적의 공격에서 보호

한다는 뜻이지요.

하나님은 우리를 보호하기 위해 말씀도 주세요. 바울은 하나님의 말씀을 성령의 검에 비유해요. 우리는 하나님의 말씀으로 유혹에 맞서 싸울 수 있지요. 그리고 기도로 하나님을 의지할 수도 있어요. 기도는 하나님께 말씀드리는 거예요. 영적인 적과 싸울 때 기도는 마치 총사령관에게 무전기로 구조 요청을 하는 것과 같아요. 우리의 적은 살과 피가 있는 눈에 보이는 존재가 아니에요. 우리의 적은 마귀예요. 우리가 하나님께 순종하고 다른 사람에게 예수님을 전하는 것을 방해하지요. **우리는 하나님의 전신 갑주를 입고 악에 맞서 싸워요.**

복 / 습 / 질 / 문

1 오늘 성경 이야기는 신약성경 어느 책에 나오나요? 에베소서

2 우리의 전투는 누구와의 싸움인가요?
통치자들, 권세들, 어둠의 세상 주관자들, 악의 영들 (엡 6:12)

3 믿음의 방패로 무엇을 할 수 있나요?
악한 자의 모든 불화살을 막을 수 있다 (엡 6:16)

4 전신 갑주는 우리가 무엇을 할 수 있도록 돕나요?
악한 날에 적에 맞서 싸우고 믿음 안에서 바로 서게 한다 (엡 6:13)

5 바울은 전신 갑주를 입는 것 외에 또 무엇을 당부했나요?
항상 성령 안에서 힘써 기도할 것을 당부했다 (엡 6:18)

가스펠 링크

바울은 그리스도인들에게 날마다 영적 전쟁을 준비해야 한다고 말했어요. 우리는 하나님을 대적하는 자와 권세들과 맞서 싸워요. 하지만 예수님은 십자가에서 죽으시고 다시 살아나셨어요. 악을 이기셨지요. 예수님이 전쟁에서 악을 이기셨다는 것을 알기 때문에 우리도 악에 맞서 싸울 수 있어요.

복음 초청

성경과 21쪽 복음 초청 가이드를 이용해서 아이들에게 그리스도인이 되는 법을 설명해 준다. 따로 상담해 줄 사람을 정해 주고 궁금한 점이 있으면 물어보도록 격려한다.

이 시간 예수님을 마음에 모시고 싶은 친구는 함께 기도해요.

기도

하나님, 우리에게 하나님의 전신 갑주를 주셔서 감사합니다. 마귀는 우리가 하나님께 순종하고 다른 사람에게 복음 전하는 것을 방해하려고 합니다. 어떠한 유혹 속에서도 하나님의 말씀으로 악에 맞서 싸울 수 있도록 성령님 함께해 주세요. 예수님의 이름으로 기도합니다. 아멘.

적용

TIP 설교 도입이나 적용으로 활용하거나 영상을 본 뒤 소그룹으로 나누어 풍성한 대화를 이어 갈 수 있습니다.

누군가가 여러분을 이기려고 한 적이 있나요? 오늘의 영상을 함께 보아요.

DVD 적용 예화 영상(지도자용 팩)을 보여 준 후, 다음의 질문으로 이야기를 나눈다.

1 넬은 왜 집을 나설 때마다 다른 것이 필요했나요?

2 넬은 무엇에 대비하고 있었나요?

3 그리스도인인 우리는 날마다 무엇을 대비해야 할까요?

4 그리스도인은 어떤 전투를 하게 되나요?

5 전투에서 당당하게 맞서 싸우려면 어떻게 해야 하나요?

하나님은 악에 맞서 싸울 때 필요한 전신 갑주를 우리에게 주셨어요. 악과의 전투는 눈에 보이지 않지만 진짜예요. 우리의 적은 매일 우리를 공격해요. 마귀는 우리가 하나님이 맡기신 임무에 불순종하고 게으르게 임하도록 유혹해요. 우리가 두려움을 느끼거나 스스로 약하다고 생각하게 만들기도 하지요. 그러나 감사하게도 우리는 예수님을 믿을 때 성령님이 함께하신다는 것을 알고 있어요. 우리는 결코 혼자 싸우는 것이 아니에요. 우리에게는 하나님의 전신 갑주가 있어요. 그것들을 가지고 하나님이 맡기신 임무를 충실하게 완수할 수 있어요. 훗날 예수님이 다시 오셔서 깨어진 것을 모두 고치시고 이 세상에서 영원히 죄를 없애심으로 이 전쟁을 끝내실 거예요.

가스펠 소그룹

10~20분

나침반

차례로 줄을 서요

[준비물] 2단원 암송(111쪽), 시트지, 가위, 매직

① 시트지를 A4용지 절반 크기로 자르고, 고린도후서 5장 17절을 어절 단위로 적어 둔다.

② 아이들에게 시트지를 하나씩 나누어 주고, 가슴이나 등에 붙이게 한다. 인도자가 "시작!"이라고 외치면, 아이들에게 암송 구절 순서대로 줄을 서라고 한다.

③ 아이들이 줄을 서면, 첫 번째 아이부터 순서대로 말씀을 읽으며 외우게 한다.

— 죄인이었던 우리는 의인이 되었고, 하나님의 자녀가 되었어요. 예수님은 우리를 죄에서 자유하게 하시고, 성령님은 우리가 예수님을 닮아 가도록 변화시키세요.

보물 지도

하나님이 주신 전신 갑주

[준비물] 학생용 교재 54쪽, 연필이나 색연필, 성경

① 에베소서 6장 14~17절을 읽고, 전신 갑주에는 어떤 것들이 있는지 물어본다.

② 보기 의 전신 갑주를 모두 입은 사람을 찾아 ○표 한 후 말풍선을 완성해 보라고 한다.

— 우리는 하나님이 주신 전신 갑주를 입어야 해요. 전신 갑주는 진리의 허리 띠, 의의 호심경(흉배), 평안의 복음의 신, 믿음의 방패, 구원의 투구와 성령의 검이에요. **우리는 하나님의 전신 갑주를 입고 악에 맞서 싸워요.** 전투를 한다고 생각하면 겁이 날 수 있어요. 특히 우리의 적은 눈에 보이는 존재가 아니기 때문에 더욱더 두렵게 느껴질 수 있어요. 그러나 두려워할 필요 없어요. 혼자서 악에 맞서 싸우는 것이 아니에요. 우리에게는 하나님의 전신 갑주와 성령님의 능력이 있어요.

탐험하기

이길 수 있어요!

[준비물] 학생용 교재 55쪽, 연필이나 색연필

① 적을 공격할 수 있는 '성령의 검'은 무엇을 나타내는지 물어본다.

② 그림 속에 숨은 글자들을 찾아 ○표 하고 알맞게 조합해 빈칸에

적어 보라고 한다.

— 바울은 그리스도인들에게 날마다 영적 전쟁을 준비해야 한다고 말했어요. 우리는 하나님을 대적하는 자와 권세들과 맞서 싸워요. 하지만 예수님은 십자가에서 죽으시고 다시 살아나셨어요. 악을 이기셨지요. **우리는 하나님의 전신 갑주를 입고 악에 맞서 싸워요.** 예수님이 전쟁에서 악을 이기셨다는 것을 알기 때문에 우리도 악에 맞서 싸울 수 있어요.

성령의 검 연습하기 *

[준비물] 성경

① 아이들에게 성경은 구약 39권, 신약 27권, 총 66권으로 이루어져 있다고 말해 준다.

② 장과 절에 따라 성경을 찾는 방법을 설명해 주고, 아이들이 성경 구절을 찾는 연습을 할 수 있도록 시간을 준다.

③ 인도자가 성경 구절을 말하고, 가장 먼저 찾은 아이에게 해당하는 성경 구절을 읽게 한다.

예) 창 1:1, 시 19:9~10, 렘 29:11, 사 41:10, 마 6:32~33, 요 3:16, 빌 4:13, 계 19:11

④ 성경을 잘 찾지 못하는 아이가 있으면, 먼저 찾은 아이가 도와주게 한다.

⑤ 성경을 찾아 읽는 것도 중요하지만 어려운 상황에서 말씀을 떠올려 이겨내는 것이 중요한다는 사실을 알려 준다.

— 악과 싸울 수 있는 공격 무기는 하나님의 말씀인 성령의 검이에요. 언제라도 필요할 때 사용할 수 있도록 평소에 준비해 두는 것이 중요해요. 실제 전투에서 검을 뽑으려고 하는데 검이 칼집에 꽉 끼어 빠지지 않는다면 어떻게 될지 상상해 보세요. 성경 말씀을 외우고 성경 구절을 찾는 연습을 하면서 '성령의 검'으로 유혹에 맞서 싸울 준비를 할 수 있어요.

하나님의 갑옷 만들기 *

[준비물] 종이 상자, 골판지, 접착테이프, 가위, 매직

① 아이들에게 준비물을 사용해 '하나님의 전신 갑주'를 만들어 보라고 한다.

② 골판지로 다양한 조각을 만들어 상자 위에 붙여 자신만의 전신 갑주를 만들게 한다.

③ 완성한 전신 갑주를 소개하는 시간을 가진다.

TIP 큰 갈색 종이봉투의 한쪽을 뚫어 전투용 조끼를 만들 수 있다. 또는 골판지 한 조각을 조끼에 붙여 호심경(흉배)을 만들 수 있다. 포장지 속대를 조금 잘라 아랫부분에 접착테이프를 손잡이 보호대처럼 붙이면 칼이 된다.

— 모두 정말 멋진 전신 갑주를 만들었어요! 오늘 **우리는 하나님의 전신 갑주를 입고 악에 맞서 싸운다**는 것을 배웠어요. 적은 우리가 죄를 짓도록 유혹하고 복음을 전하지 못하도록 방해하지만, 우리에게는 그에 맞서 싸울 도구와 능력이 있어요!

보물 상자

나만의 기록장

[준비물] 학생용 교재 56쪽, 연필이나 색연필

성경 이야기를 통해 알게 된 것을 글이나 그림으로 표현해 보라고 한다.

· 이 성경 이야기는 하나님이나 복음에 대해 무엇을 말하고 있나요?

· 이 성경 이야기를 통해 나에 대해 알게 된 사실은 무엇인가요?

· 이 성경 이야기를 통해 깨달은 하나님의 마음은 무엇인가요?

메시지 카드

이번 주 메시지 카드로 부모님과 함께 오늘 배운 성경 이야기를 나누어 보라고 한다.

기도

하나님, 우리에게 성령님을 보내 주시고 하나님의 영광을 위해 예수님을 닮아 가게 하신다는 것을 배웠습니다. 그런데 우리가 예수님을 닮아 가는 것을 방해하는 것들이 있습니다. 악에 맞서 싸울 수 있도록 하나님의 전신 갑주를 주셔서 감사합니다. 하나님의 말씀으로 어떤 유혹에도 흔들리지 않도록 성령님 함께해 주세요. 예수님의 이름으로 기도합니다. 아멘.

10
기쁘게 주어요

고후 8:1~15, 9:6~15

단원 암송

그런즉 누구든지 그리스도 안에 있으면
새로운 피조물이라 이전 것은 지나갔으니
보라 새것이 되었도다(고후 5:17).

성경의 초점

누가 우리를 거룩하게 변화시키시나요?
성령님이 하나님의 영광을 위해 우리가
예수님을 닮아 가도록 변화시키세요.

본문 속으로

바울은 고린도 교회에서 일어난 몇 가지 죄를 고린도 전서에서 다루었습니다. 물론 그 편지에는 위험이 따랐습니다. 고린도 성도들이 바울을 등질 수도 있었기 때문입니다. 그러나 고린도 성도들은 그렇게 하지 않았습니다. 바울은 고린도후서를 쓰면서 하나님이 교회에 행하신 일을 높이고, 고린도 교회에 도움을 요청했습니다. 당시 예루살렘 교회는 절박하게 도움이 필요한 상황이었습니다. 그래서 바울은 예루살렘 교회를 돕기 위해 헌금을 모으고 있었습니다.

바울은 고린도 성도들에게 아낌없이 헌금할 것을 독려했습니다. 그는 마케도니아에 있는 교회에 관한 이야기를 들려주었습니다. 마케도니아는 고린도 북부에 있는 지역입니다. 그곳의 그리스도인들은 시련을 겪고 있었고 부유하지도 않았습니다. 그럼에도 그들에게는 기쁨이 넘쳤고, 그들은 힘을 다해 다른 사람들을 도왔습니다.

바울은 고린도 성도들에게 헌금을 권했습니다. 무언가를 나누는 일은 우리가 하나님을 사랑한다는 것을 보여 주는 방법 중 하나입니다. 하나님은 우리에게 아낌없이 주십니다. 그래서 우리도 다른 사람들에게 아낌없이 줄 수 있습니다. 예수님은 부유하신 분이었습니다. 하늘의 영광과 명예를 모두 가지신 분이었습니다. 하지만 이 땅에 오셔서 죄인들을 구하기 위해 그 모든 것을 버리셨습니다.

예수님은 아무것도 가진 것 없는 우리를 부유하게 하려고 자신의 모든 것을 버리셨습니다. 이제 우리는 예수님 안에서 구원과 영원한 생명을 얻었습니다. 그래서 바울은 고린도 성도들 역시 하나님께 받은 것들을 아낌없이 기쁜 마음으로 주기를 바랐던 것입니다.

티칭 포인트

여러분이 가르치는 아이들도 마케도니아 성도들처럼 줄 것이 없다고 생각할 수 있습니다. 하지만 바울이 고린도 교회를 격려했던 것처럼 여러분도 아이들을 격려해 주십시오. 많이 주어야 하나님이 영광을 받으시는 것이 아닙니다. 얼마나 기쁜 마음으로 아까워하지 않고 주는지가 중요합니다.

아이들이 의무감이 아닌 감사하는 마음으로 나누도록 독려해 주십시오. 하나님은 기쁘게 주는 사람을 사랑하십니다(고후 9:7 참조). 자신이 속한 도시나 국가나 세계를 위해 어떤 것을 나눌 수 있을지 아이들과 함께 생각해 보십시오. 그것은 시간일 수도 있고 돈이나 재능일 수도 있습니다.

주 제

하나님이 우리에게 아낌없이 주신 것처럼 우리도 아낌없이 줄 수 있어요.

가스펠 링크

예수님은 우리를 죄에서 구하기 위해 자신의 생명을 버리심으로 아낌없이 준다는 것이 무엇인지 보여 주셨어요.

이야기 성경

기쁘게 주어요 고후 8:1~15, 9:6~15

바울은 예루살렘 교회를 위해 헌금을 모으고 있었어요. 그들은 도움이 필요했어요! 바울은 사랑하는 고린도 성도들에게 편지를 써서 도움을 청했어요. 마케도니아 지역의 교회에서 목격한 하나님의 은혜를 들려주었지요.

마케도니아는 고린도 북부에 있는 지역이에요. 그곳 성도들은 고통을 겪고 있었어요. 가진 것도 많지 않았어요. 그렇지만 그들은 기쁜 마음으로 헌금했어요. 바울은 마케도니아 성도들이 가난하지만 있는 힘껏 헌금하며 다른 사람들을 도왔다고 말했어요.

바울은 고린도 성도들에게 그와 같이 헌금하라고 격려했어요. 무언가를 나누는 일은 우리가 하나님을 사랑한다는 것을 보여 주는 한 방법이에요. 바울은 예수님을 떠올려 주었어요. 예수님은 하늘의 영광과 명예를 모두 가진 부유한 분이었지만, 그 모든 것을 포기하고 가난해지셨어요. 우리를 구하러 이 땅에 오기 위해서 말이에요. 가진 것이 아무것도 없는 우리를 부유하게 하려고 그렇게 하셨지요. 이제 우리는 예수님 안에서 구원과 영원한 생명을 얻었어요.

바울은 고린도 성도들이 마케도니아 성도들만큼 가난하지 않다는 점을 강조했어요. 그들에게는 돈이 충분히 있었어요. 그것을 부족한 사람들에게 줄 수 있었지요. 그러면 모든 사람의 필요가 채워지는 거예요.

바울은 하나님이 광야에서 이스라엘 백성에게 만나를 내려 주신 일을 이야기했어요. 당시 모든 사람이 필요한 만큼 만나를 거두었어요. 어떤 사람은 많이 거두었지만 남지 않았고, 어떤 사람은 적게 거두었지만 부족하지 않았어요.

바울은 얼마나 많이 나누느냐보다 어떤 자세로 나누느냐가 더 중요하다고 말했어요. "하나님은 기쁘게 주는 사람을 사랑하십니다"라고 했지요. 그는 고린도 성도들에게 그들이 생각하기에 옳다고 생각되는 만큼 나누면 된다고 격려했어요.

바울은 하나님이 우리의 모든 필요를 채워 주시는 분이라는 사실을 강조했어요. 우리가 가진 모든 것은 하나님이 주신 선물이에요. 하나님은 다른 사람과 나누도록 재물을 주실 수도 있어요. 우리가 헌금하면 교회는 그것으로 어려움을 겪는 사람을 도와주어요. 그러면 도움을 받은 사람은 선물을 주신 하나님께 감사하게 되지요. 바울은 교회가 너그럽고 기쁘게 나눔으로써 예수님을 믿는 모습을 보여 주어야 한다고 말했어요. 그는 "가장 놀라운 선물인 하나님의 아들 예수님을 우리에게 주신 하나님께 감사드립시다!"라고 했어요.

●● 가스펠 링크

하나님은 우리를 긍휼히 여기시고 우리에게 독생자를 주셨어요. 예수님은 우리를 죄에서 구하기 위해 자신의 생명을 버리심으로 아낌없이 준다는 것이 무엇인지 보여 주셨어요. 이처럼 우리도 다른 사람을 긍휼히 여기고 아낌없이 줄 수 있어요.

가스펠 준비

10~20분

환영

도착하는 아이들을 반갑게 맞이하고 헌금, 출석, QT 등을 확인하며 격려한다. 새 친구가 있다면 소개한다. 편안한 분위기에서 안부를 물으며 오늘의 말씀과 관련된 화제로 이야기를 나눈다. 아이들에게 바자회에 참여해 본 적이 있는지 물어본다. 자발적으로 대화에 참여하도록 이끈다.

예) "나눔 바자회에 참여해 본 적이 있나요?", "어떤 물건을 가지고 갔나요?" 등.

― 바자회에 다양한 물건을 가지고 갔군요. 바자회라고 하면 많은 먹거리와 넘치는 나눔 그리고 바자회 수익금을 도움이 필요한 이웃에게 전해 드리는 따뜻함이 생각나요. 오늘 성경 이야기에는 '나눔'에 관한 이야기가 나와요. 하나님은 우리가 서로 나누며 살기를 바라세요. 하나님은 왜 우리가 사람들과 나누기를 바라실까요?

마음 열기

나누고 나누면 *

[준비물] 개별 포장된 젤리 또는 사탕

① 아이들에게 젤리를 3개씩 나누어 준다.

② 인도자가 아이들에게 "나에게 젤리 한 개만 줄래요?"라고 물어본다.

③ 한 개를 준 아이에게 "고마워요"라고 말하며 젤리 2개를 준다.

④ 다시 한 번 아이들에게 "나에게 젤리 한 개만 줄래요?"라고 물은 후, 젤리를 준 아이에게 2개씩 더 준다.

― 젤리를 달라고 했을 때 젤리를 준 친구들은 젤리를 하나 더 받았어요. 여러분이 좋아하는 것이지만, 그것을 나누었을 때 더 큰 기쁨이 돌아온다는 것을 알려 주는 놀이였어요. 오늘은 하나님이 우리를 넉넉하게 나누어 주는 사람으로 만들기 위해 우리 마음을 변화시키신다는 사실을 배우게 될 거예요.

알맞은 가격은? *

[준비물] 색인 카드, 사인펜

① 아이들이 사고 싶어 하는 물건들을 색인 카드에 각각 적고, 각 물건의 소비자 가격을 미리 조사해 둔다.

② 아이들에게 카드에 적힌 물건의 이름을 읽어 주고, 가격을 맞혀 보라고 한다.

③ 물건의 가격과 가장 가까운 가격을 맞힌 아이에게 점수를 준다.

④ 가장 높은 점수를 얻은 아이가 이긴다.

― 우리는 다양한 곳에 돈을 써요. 필요한 물건을 사고, 남은 돈이 있으면 갖고 싶은 것을 사기도 하지요. 오늘은 하나님이 돈에 대한 우리의 생각을 어떻게 변화시키시는지, 아낌없이 나눈다는 것은 어떤 의미인지 배워 보아요.

교사를 위한 기록장 이 과를 준비하면서 깨닫게 된 묵상을 정리해 보세요.

·하나님이나 나에 대해 새롭게 알게 된 것은?

·기억해야 할 하나님의 말씀은?

·아이들에게 전하고 싶은 메시지는?

가스펠 설교

15~30분

들어가기

[준비물] 작업복, 공구 벨트, 보안경, 빨래집게, 동전

작업복을 입고, 공구 벨트를 허리에 차고 들어온다. 보안경을 착용하고, 빨래집게와 동전을 들고 있다.

제 작업실에 오신 것을 환영합니다! 저는 발명가 인도자의 이름입니다. 사람들의 삶이 더 나아지도록 도와줄 새로운 장치를 만들지요. 저는 종종 어떤 물건을 완전히 새로운 것으로 바꾸기도 해요. 예를 들어, 빨래집게를 들어 올리며 이것은 평범한 빨래집게로 보이지만, 저는 이것을 '팔딱 동전 뒤집개'라고 부른답니다. 동전을 쉽게 뒤집는 데 쓰지요.

저는 이 장치를 잃어버린 동전을 발견했을 때 사용해요. 찾은 동전을 이 장치로 뒤집어서 앞면이 나오면 교회에 가져가 헌금을 해요. 뒷면이 나오면 그냥 제가 가지고요. 뭐, 그런 식으로만 헌금한다는 말은 아니에요. 그냥 재미로 하는 놀이지요. 평소보다 헌금을 더 많이 할 수도 있고요.

제 발명품과 동전 뒤집기 놀이를 이야기하다 보니 이번 주 성경 이야기가 생각나요. 하나님이 우리를 아낌없이 나누는 사람으로 변화시키시는 이야기랍니다.

연대표

우리는 그동안 초대교회 지도자들이 곳곳에 흩어진 그리스도인들에게 보낸 여러 편지를 살펴보았어요. 각 편지를 통해 예수님 안에서 그리스도인의 삶이 어떻게 변화하는지도 배웠고요. 제 작업실에 처음 온 날에는 **하나님은 예수님을 믿는 우리를 하나님의 자녀로 삼으신다**는 것을 배웠어요. 그다음 주에는 **하나님은 우리가 서로 아끼고 사랑하며 교제하기를 바라신다**는 것을 배웠고요. 성령의 열매를 이야기하면서 **성령님은 우리가 예수님을 닮아 가도록 우리의 생각과 행동을 변화시키신다**는 것도 배웠어요. 그다음에는 하나님의 전신 갑주에 관해 배웠지요. **우리는 하나님의 전신 갑주를 입고 악에 맞서 싸워요.** 연대표에서 오늘의 성경 이야기를 가리킨다. 이번 주 성경 이야기의 제목은 "기쁘게 주어요"랍니다.

성경의 초점

그동안 예수님을 믿고 의지할 때 나타나는 여러 가지 변화에 관해 이야기했어요. '성경의 초점'의 질문과 답을 기억하는 사람 있나요? 아이들의 대답을 기다린다. 대단해요! **누가 우리를 거룩하게 변화시키시나요? 성령님이 하나님의 영광을 위해 우리가 예수님을 닮아 가도록 변화시키세요.**

성경 이야기

DVD 고린도후서 8장 1~15절과 9장 6~15절을 펴고, 설교 영상(지도자용 팩)을 보여 주거나 이야기 성경을 들려준다. 동전을 많이 넣은 주머니를 준비한다. 자원하는 아이 2명을 인도자 앞에 세우고, 한 아이에게 동전 주머니를 준다. 성경 이야기에서 '주다'라는 말이 나올 때마다 주머니를 주고받으라고 한다.

누군가에게 돈을 주는 것은 쉬운 일이 아니에요. 바울은 고린도 교회에 보내는 편지에서 마케도니아에 있는 성도들 이야기를 들려주었어요. 바울은 고린도 성도들이 아낌없이 준다는 것이 어떤 것인지 알기를 바랐어요. 마케도니아 성도들에게는 돈이 많지 않았어요. 그런데도 어려운 사람들을 돕기 위해 최대한 많은 돈을 주었어요! 바울은 하나님이 기쁜 마음으로 주는 사람을 사랑하신다고 썼어요.

하나님은 왜 우리가 아낌없이 주기를 바라실까요? 아이들의 대답을 기다린다. 우리가 다른 사람을 돕기 위해 가진 것을 나눌 때 세상은 이 모습을 보며 하나님의 사랑이 어떤 것인지 알게 되어요. 하나님은 우리에게 예수님을 보내 주셨고, 예수님은 우리를 구하려고 자신의 목숨을 주셨어요. **하나님이 우리에게 아낌없이 주신 것처럼 우리도 아낌없이 줄 수 있어요.** 우리가 가진 모든 것은 원래 하나님의 것이에요. 하나님이 우리에게 주셨지요. 가진 것을 나누는 일은 하나님이 언제나 우리를 돌보신다는 사실을 믿는다는 것을 표현하는 거예요. 우리는 돈이 얼마나 있는지 걱정하는 대신 우리에게 필요한 것을 하나님이 채워 주실 것이라고 믿으며 기쁜 마음으로 다른 사람에게 나눌 수 있어요.

성경은 얼마나 주느냐보다 어떤 마음으로 주느냐가 더 중요하다고 가르쳐요. 하나님은 우리의 시간, 재능, 돈도 나누기를 바라세요. 온 세상에 복음을 전하려는 하나님의 계획에 우리가 함께하길 바라시지요. 기쁜 마음으로 나누는 것은 하나님의 일에 참여하는 아주 좋은 방법이에요.

가스펠 링크

하나님은 우리를 긍휼히 여기시고 우리에게 독생자를 주셨어요. 예수님은 우리를 죄에서 구하기 위해 자신의 생명을 버리심으로 아낌없이 준다는 것이 무엇인지 보여 주셨어요. 이처럼 우리도 다른 사람을 긍휼히 여기고 아낌없이 줄 수 있어요.

DVD

복음 초청

성경과 21쪽 복음 초청 가이드를 이용해서 아이들에게 그리스도인이 되는 법을 설명해 준다. 따로 상담해 줄 사람을 정해 주고 궁금한 점이 있으면 물어보도록 격려한다.

이 시간 예수님을 마음에 모시고 싶은 친구는 함께 기도해요.

기도

하나님, 우리의 필요를 채우시는 하나님을 찬양합니다. 우리에게 주신 시간과 돈, 재능을 하나님의 영광을 위해 사용할 수 있도록 인도해 주세요. 하나님이 우리에게 아낌없이 주신 것처럼 우리도 기쁜 마음으로 아낌없이 나눌 수 있도록 도와주세요. 우리 자신이나 돈을 의지하는 것이 아니라 언제나 하나님을 믿고 의지하도록 함께해 주세요. 예수님의 이름으로 기도합니다. 아멘.

적용

TIP 설교 도입이나 적용으로 활용하거나 영상을 본 뒤 소그룹으로 나누어 풍성한 대화를 이어 갈 수 있습니다.

좋아하는 것을 다른 사람과 잘 나누나요? 나누지 않고 혼자만 가지나요? 오늘의 영상을 보며 함께 생각해 보아요.

DVD 적용 예화 영상(지도자용 팩)을 보여 준 후, 다음의 질문으로 이야기를 나눈다.

1. 넬은 친구들과 공을 나누고 싶어 했나요? 그 이유는 무엇인가요?
2. 넬이 공 하나를 나누었을 때 친구의 반응은 어땠나요?
3. 넬이 기쁘게 주었다면, 캔디스의 반응은 달랐을까요?
4. 우리는 다른 사람과 무엇을 나눌 수 있을까요? 어떻게 나눌 수 있을까요?
5. 우리에게 좋은 선물을 주시는 분은 누구인가요?

넬에게는 공이 많았어요. 많은 사람에게 나누어 주어도 가지고 놀 공이 여러 개 남았을 거예요. 복음도 마치 넬이 가진 공과 비슷해요. 그보다 훨씬 근사하지요. 아무리 많은 사람에게 예수님을 전해 주어도 우리에게는 항상 예수님이 함께 계시니까요. **하나님이 우리에게 아낌없이 주신 것처럼 우리도 우리도 아낌없이 줄 수 있어요.**

가스펠 소그룹

10~20분

나침반

어떤 모습일까?

[준비물] 학생용 교재 60쪽, 연필이나 색연필

① 고린도후서 5장 17절을 함께 암송하게 한다.

② 예수님 안에서 새로운 피조물이 되는 것은 어떤 것인지 설명해 준다.

③ 예수님을 믿기 전과 후의 모습이 어떻게 다른지 그림으로 그려 보게 한다.

예시

— 바울은 고린도 성도들에게 보내는 편지에 이 말을 썼어요. 그는 성도들이 예수님과의 관계를 통해 완전히 새로운 삶을 시작하게 된다는 것을 알기를 바랐어요. **누가 우리를 거룩하게 변화시키시나요? 성령님이 하나님의 영광을 위해 우리가 예수님을 닮아 가도록 변화시키세요.** 이런 변화는 곧바로 나타나지 않을 수 있어요. 하지만 하나님은 계속해서 우리가 예수님을 닮아 가도록 인도하실 거예요.

보물 지도

오목 퀴즈

[준비물] 화이트보드, 보드마커, 지우개

① 화이트보드에 가로 3칸, 세로 3칸이 되도록 표를 그린다.

② 아이들을 'X팀'과 'O팀'으로 나누고, 팀별로 문제를 하나씩 낸다.

③ 정답을 맞힌 팀은 팀 표시를 원하는 곳에 할 수 있다고 말해 준다.

④ 정답을 맞히지 못하면 표시할 곳을 상대 팀이 정할 수 있다고 일러 준다.

⑤ 표의 9칸 중에서 3개의 표시로 세로든 가로든 대각선이든 먼저 자기 팀의 표시를 채운 팀이 이긴다.

1 바울은 고린도 성도들에게 어느 지역에 있는 교회의 이야기를 들려주었나요? 마케도니아 (고후 8:1)

2 마케도니아 교회는 어떤 형편에서도 아낌없이 헌금했나요?
많은 시련과 극심한 가난 속에서도 넘치도록 헌금했다 (고후 8:2)

3 예수님은 이 땅에 오시기 위해 어떻게 되셨나요?
부요하셨지만 가난하게 되셨다 (고후 8:9)

4 하나님은 어떻게 주는 사람을 사랑하시나요?
기쁘게 주는 사람 (고후 9:7)

5 아낌없이 줄 때 성도에게 어떤 복이 있나요?
그들로 말미암아 감사가 넘치게 된다 (고후 9:11)

6 누가 우리를 거룩하게 변화시키시나요?
성령님이 하나님의 영광을 위해 우리가 예수님을 닮아 가도록 변화시키세요.

— 바울은 마케도니아 교회를 예로 들어 아낌없이 주는 것이 어떤 것인지 설명했어요. 그리고 예수님이야말로 아낌없이 주는 모습을 가장 완벽하게 보여 주셨다고 말했지요. **하나님이 우리에게 아낌없이 주신 것처럼 우리도 아낌없이 줄 수 있어요.** 바울은 나누는 금액보다 마음가짐이 더 중요하다고 분명히 말했어요. 마케도니아 교회는 가난했지만 기쁜 마음으로 나누었어요.
우리 믿음이 자랄수록 성령님은 점점 더 예수님을 닮아 가고 하나님의 사랑을 사람들에게 베풀도록 우리를 변화시키세요. **누가 우리를 거룩하게 변화시키시나요? 성령님이 하나님의 영광을 위해 우리가 예수님을 닮아 가도록 변화시키세요.**

탐험하기

풍성한 마음

[준비물] 학생용 교재 61쪽, 연필이나 색연필, 성경

① 아이들이 가진 시간, 재능, 용돈을 누구에게 줄 수 있는지 물어본다.

② 빈칸을 채우고 선긋기를 하며, 하나님의 사랑을 전할 수 있는 행동들을 완성해 보라고 한다.

③ 고린도후서 9장 7~8절을 읽어 준 후, 선긋기 한 내용을 실천할 수 있도록 독려한다.

예시

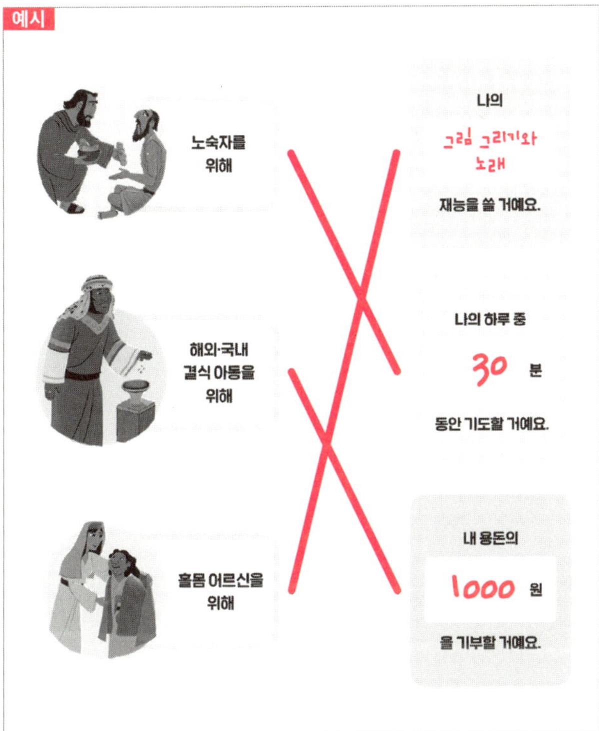

— 하나님은 우리를 긍휼히 여기시고 우리에게 독생자 예수님을 주셨어요. 예수님은 우리를 위해 생명까지 주셨어요. 예수님은 우리를 죄에서 구하기 위해 자신의 생명을 버리심으로 아낌없이 준다는 것이 무엇인지 보여 주셨어요. **하나님이 우리에게 아낌없이 주신 것처럼 우리도 아낌없이 줄 수 있어요.**

나눔의 손 *

[준비물] 색 도화지, 스티커, 사인펜

① 아이들에게 색 도화지를 한 장씩 나누어 주고, 종이를 반으로 접게 한다.

② 종이의 접힌 쪽에 엄지와 검지가 닿도록 손바닥을 올리고 손바닥 모양을 따라 그리라고 한다.

③ 종이가 떨어지지 않고 연결되도록 손바닥 모양을 따라 가위로 오린 후 펼치게 한다.

④ 손바닥 모양을 펼치면 엄지와 검지가 하트 모양으로 나타난다.

⑤ 손바닥 안에 주제 문장을 쓰고 스티커와 사인펜으로 꾸미게 한다.

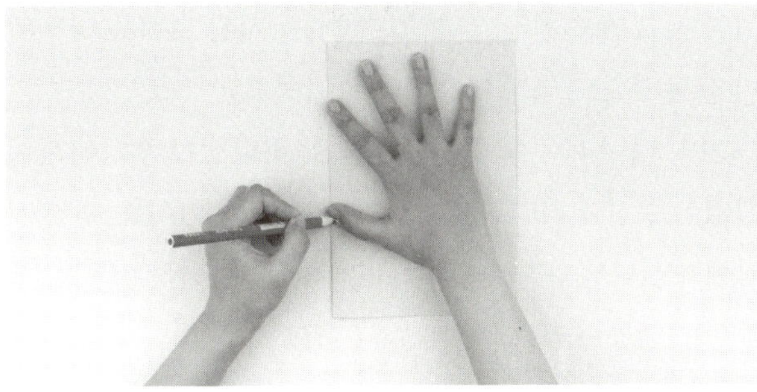

— **하나님이 우리에게 아낌없이 주신 것처럼 우리도 아낌없이 줄 수 있어요.** 하나님은 얼마나 많이 주느냐를 중요하게 여기지 않으세요. 얼마나 기뻐하는 마음으로 주느냐를 중요하게 여기시지요. 우리는 모든 좋은 선물이 하나님에게서 온다는 것과 하나님이 우리를 돌보실 것을 믿고 의지할 수 있어요. 우리가 아낌없이 줄 때 세상은 하나님의 사랑이 어떤 것인지 알게 되고 사람들의 마음에 감사함이 퍼져 나가게 될 거예요.

아낌없이 주어요 *

[준비물] 하트 모양 포스트잇

① 아이들에게 포스트잇을 5장씩 나누어 준다.

② 몸 곳곳에 포스트잇을 붙이라고 한다.

③ 인도자가 "시작!"이라고 외치면, 자기 몸에 붙은 포스트잇을 떼어 다른 아이들에게 붙이라고 말해 준다.

④ 다른 아이에게 하트를 붙일 때 "난 널 사랑해!" 또는 "난 널 좋아해!"라고 말하면서 붙여야 한다고 일러 준다.

⑤ 인도자가 "그만!"이라고 말하면, 동작을 멈추고 몸에 붙은 하트 개수를 세게 한다.

⑥ 하트가 하나도 붙어 있지 않은 아이에게 하트를 모두 붙여 주라고 한다.

— 서로 사랑을 고백하며 하트를 나누었어요. 하트를 많이 가지고 있는 친구도 있었고, 반대로 사랑 고백을 너무 많이 해서 하나도 남지 않은 친구도 있었지요. 그 친구는 사랑을 가장 많이 나누어 준 친구였어요. **하나님이 우리에게 아낌없이 주신 것처럼 우리도 아낌없이 줄 수 있어요.** 다른 사람에게 하나님의 사랑을 전하며 하나님이 주신 사랑을 더욱 깊이 깨닫는 우리가 되어요.

보물 상자

나만의 기록장

[준비물] 학생용 교재 62쪽, 연필이나 색연필

성경 이야기를 통해 알게 된 것을 글이나 그림으로 표현해 보라고 한다.

· 이 성경 이야기는 하나님이나 복음에 대해 무엇을 말하고 있나요?

· 이 성경 이야기를 통해 나에 대해 알게 된 사실은 무엇인가요?

· 이 성경 이야기를 통해 깨달은 하나님의 마음은 무엇인가요?

메시지 카드

이번 주 메시지 카드로 부모님과 함께 오늘 배운 성경 이야기를 나누어 보라고 한다.

기도

하나님, 하나뿐인 아들 예수님을 보내 우리를 구원해 주셔서 감사합니다. 그 크신 사랑을 기억할 때마다 우리 안에 사랑의 마음이 가득하게 해 주세요. 우리가 가진 것을 필요한 사람들에게 아낌없이 주며 하나님의 사랑을 전하도록 성령님 도와주세요. 예수님의 이름으로 기도합니다. 아멘.

칼 럼

성공적으로 대예배 적응하기

때때로 대예배는 어른들의 전유물로 인식됩니다. 사실 대예배는 모두를 위한 예배입니다. 아이들도 대예배를 통해 다양한 것을 배울 수 있습니다. 아이들은 노래를 부르고, 헌금을 드리고, 기도하고, 설교를 들을 수 있습니다.

주일학교 사역의 리더로서 우리는 부모님들과 어린아이들 그리고 교회 성도들을 도와 아이들이 성공적으로 대예배에 임할 수 있도록 해야 합니다.

자료를 제공하십시오

부모들에게 자료를 제공하여 아이들이 쉽게 대예배로 전환하게 도와줄 팁을 가르쳐 줄 수 있습니다. 이런 간단한 팁에는 어린이 성경, 설교를 받아 적거나 그림으로 표현할 수 있는 종이와 크레파스, 또는 스티커 등 조용하게 시간을 보낼 수 있는 물건을 가방에 넣어 오는 방법이 있습니다.

예배 시작 전에 아이들과 미리 화장실에 다녀오라고 부모님들에게 일러 주십시오. 또 목사님을 볼 수 있는 곳에 아이들을 앉히라고 말하십시오. 다른 팁으로는 전날 밤에 교회에 입고 갈 옷과 교회 가방을 준비해 두고 예배 시간에 어떤 경험을 하게 될지 이야기를 나누며 아이들의 마음과 생각을 준비시키는 방법이 있습니다.

축하하십시오

대예배에 참석하기 시작하는 것은 기념비적인 사건이고 축하할 일입니다. 가족들을 어떤 식으로 특별하게 축하해 줄 것인지 교회 차원에서 정하십시오. '목사님과 식사하기', '먹으면서 참여하는 예배(식사를 하면서 설교를 듣는 예배에 처음 대예배에 참여하는 아이들을 참여시키는 것)', '예배 전 식사(처음 대예배에 참여하는 아이들이 있는 가정들이 모여 오찬을 나누고 교제하는 시간)' 등을 생각해 볼 수 있습니다. 이런 행사에는 예배당 견학, 교역자나 교회 지도자와의 만남 같이 아이들이 대예배와 친숙해질 수 있는 활동을 곁들이면 좋습니다.

델라니 윌리엄스(Delanee Williams)는
라이프웨이키즈(LifeWay Kids)의 사역 전문가로 섬기고 있습니다.
그는 베일러대학(Baylor Univeristy)과 사우스웨스턴침례신학대학원
(Southwestern Baptist Theological Seminary)을 졸업했습니다.
델라니는 20년 이상 어린이 사역을 했으며 리더를 키우고, 준비시키며,
격려하는 일에 열정을 품고 있습니다.

11

믿음의 사람들

히 11:1~12:2

단원 암송

그런즉 누구든지 그리스도 안에 있으면
새로운 피조물이라 이전 것은 지나갔으니
보라 새것이 되었도다(고후 5:17).

성경의 초점

누가 우리를 거룩하게 변화시키시나요?
성령님이 하나님의 영광을 위해 우리가
예수님을 닮아 가도록 변화시키세요.

본문 속으로

흔히 사람들은 믿음을 그저 우리 안에 있는 어떤 것이라고 생각합니다. 하나님에 대한 신뢰와 확신이라고 생각하지요. 그것이 믿음의 모습인 것은 분명하지만, 믿음의 전부는 아닙니다. 믿음은 우리 안에서 시작해 언제나 행동으로 이어집니다.

히브리서의 저자는 초대교회의 유대인 성도들에게 온전한 믿음에 관해 설명하고자 했습니다. 구약성경에 나오는 믿음으로 산 사람들의 삶을 본보기로 들면서 믿음에 관해 이야기했습니다. 그것이 바로 이른바 '믿음의 전당'이라고 불리는 히브리서 11장입니다.

아벨이 믿음으로 하나님께 제사를 드리자 하나님이 그 제사를 받으셨습니다. 노아에게도 믿음이 있었습니다. 하나님이 방주를 지어 가족을 구하라고 하셨을 때 그는 하나님을 믿었습니다. 아브라함은 고향을 떠나라는 하나님의 부르심에 믿음으로 순종했습니다. 아브라함의 아내 사라가 아이를 낳을 수 없을 만큼 늙었음에도 자녀를 주시겠다는 하나님의 약속을 믿은 것도 믿음이었습니다. 이삭, 야곱, 요셉, 모세도 믿음의 사람들이었습니다. 라합은 여리고성에 숨어든 이스라엘 정탐꾼들을 믿음으로 숨겨 주었습니다.

이들은 모두 하나님을 믿었습니다. 수많은 다른 믿음의 사람도 그랬습니다. 믿음을 지키는 것은 쉬운 일이 아니었습니다. 많은 사람이 고난을 받았습니다. 그리고 그들은 모두 하나님의 가장 위대한 약속이 이루어지기 전, 즉 예수님이 오시기 전에 죽었습니다. 그럼에도 그들은 하나님의 놀라운 계획을 믿었습니다. 하나님은 하나님을 믿는 그들의 모습을 기뻐하셨습니다.

●● 티칭 포인트

믿음의 사람들에 관한 이야기를 통해 행동하는 믿음이 무엇인지 아이들이 이해할 수 있도록 도와주십시오. 우리는 이런 본보기들을 통해 믿음이 무엇인지 배울 수 있습니다. 이것이 바로 하나님이 우리에게 히브리서 11장을 주신 이유입니다. 하지만 믿음의 사람들도 모두 구원을 받아야 하는 죄인이었다는 점을 강조하십시오. 우리를 죄에서 구원하시는 완전한 믿음의 본보기이신 예수님을 아이들이 바라볼 수 있도록 도와주십시오.

주 제

믿음의 사람들은 보이지 않는 하나님의 약속을 믿고 순종해요.

가스펠 링크

성경은 믿음으로 산 사람들의 본보기를 보여 주어요. 그중에 완전한 믿음의 본보기를 보여 주신 분은 예수님이에요.

믿음의 사람들 히 11:1~12:2

히브리서에는 믿음으로 살았던 사람들의 이름이 나와요. 믿음이란 무엇일까요? 믿음은 우리가 바라는 것들에 대해서 확신하는 거예요. 또 믿음은 하나님을 믿기 때문에 하나님께 순종하는 거예요. 믿음으로 우리는 하나님이 아무것도 없는 데서 말씀으로 모든 것을 창조하셨다고 믿어요.

수많은 성경 속 인물이 믿음의 삶을 살았어요. 하나님은 그들의 믿음을 기뻐하셨지요. 아벨이 믿음으로 제사를 드리자 하나님이 그 제사를 받으셨어요. 하나님을 기쁘시게 하려면 믿음이 있어야 해요. 믿음이 있어야만 하나님의 살아계심과 하나님이 믿는 자에게 상을 주신다는 사실을 믿을 수 있어요.

노아도 믿음의 사람이었어요. 그는 방주를 지어 가족을 구하라는 하나님의 말씀을 믿고 순종했어요. 노아는 홍수가 올 것이라는 하나님의 말씀을 믿었기 때문에 다른 사람들에게도 경고했어요. 하나님은 노아의 믿음을 기뻐하셨어요.

아브라함은 고향을 떠나라는 하나님의 부르심에 믿음으로 순종했어요. 어디로 가는지 몰랐지만 하나님께 순종해 떠났지요. 하나님이 아브라함에게 약속하셨을 때, 아브라함은 하나님이 그 약속을 지키실 것이라고 믿었어요. 아브라함의 아내 사라에게도 믿음이 있었어요. 사라는 아이를 낳을 수 없을 만큼 늙었지만 아이를 주겠다는 하나님의 말씀을 믿었지요. 이삭이 태어났을 때 사라의 나이는 90살, 아브라함의 나이는 100살이었어요. 아브라함과 사라는 많은 자손을 두게 되었어요. 하나님이 그들에게 하늘의 별과 같이 셀 수 없을 만큼 많은 자손을 주셨어요.

이삭, 야곱, 요셉, 모세도 모두 믿음의 사람들이었어요. 라합은 여리고성에 숨어든 이스라엘 정탐꾼들을 믿음으로 숨겨 주었어요. 다윗에게도 믿음이 있었어요. 이들은 모두 하나님을 믿었어요. 수많은 다른 믿음의 사람도 그랬지요.

믿음을 지키는 것은 쉬운 일이 아니에요. 많은 믿음의 사람이 어려움을 겪었어요. 그리고 그들은 모두 하나님의 가장 위대한 약속이 이루어지기 전에, 즉 예수님이 오시기 전에 죽었어요. 그럼에도 그들은 하나님의 놀라운 계획을 믿었어요. 하나님을 믿는 그들의 모습을 하나님은 기뻐하셨어요.

우리도 하나님의 놀라운 계획을 알고 있어요. 하나님은 메시아를 보내 사람들을 죄에서 구하겠다는 약속을 지키셨어요. 하나뿐인 아들 예수님을 보내 주셨지요. 예수님은 우리에게 믿음을 주세요. 우리는 예수님을 바라보기만 하면 되어요. 예수님 안에서 하나님의 약속이 모두 이루어지기 때문이에요.

●● 가스펠 링크

성경은 믿음으로 산 사람들의 본보기를 보여 주어요. 그중에 완전한 믿음의 본보기를 보여 주신 분은 예수님이에요. 예수님은 십자가를 통해 다가올 기쁨을 고대하셨어요. 성경 속 믿음의 사람들이 간절히 바라며 기다리던 일이 예수님으로 인해 완성될 거예요. 우리는 언젠가 예수님이 다시 오실 것을 믿어요. 하나님은 항상 약속을 지키시는 분이기 때문이에요.

가스펠 준비

10~20분

환영

도착하는 아이들을 반갑게 맞이하고 헌금, 출석, QT 등을 확인하며 격려한다. 새 친구가 있다면 소개한다. 편안한 분위기에서 안부를 물으며 오늘의 말씀과 관련된 화제로 이야기를 나눈다. 아이들에게 좋아하는 성경 인물이 있는지 물어본다. 왜 좋아하는지 이야기를 나눈다. 자발적으로 대화에 참여하도록 이끈다.

예) "좋아하는 성경 인물이 있나요?", "왜 그 인물을 좋아하나요?" 등.

── 많은 성경 인물이 나왔어요. 그중에 구약성경에 나온 인물도 많이 있네요! 오늘 성경 이야기에도 많은 성경 인물이 나와요. 그들은 믿음의 본보기를 보여 주어요. 어떤 사람들이 나와서 그들의 믿음에 관해 말해 줄까요? 어서 성경 이야기 속으로 들어가 보아요.

마음 열기

그들은 누구? *

DVD **[준비물] '믿음의 사람들'**(지도자용 팩)**, 색인 카드, 가위, 풀**

① '믿음의 사람들'을 2세트 출력해 오린 후 색인 카드에 붙여 놓는다.

② 카드를 뒤집어 놓고 한 명씩 돌아가며 2장씩 뒤집어 보게 한다.

③ 그림이 같으면 그 인물에 대한 설명을 짧게 한 후 카드를 가져가고, 다르면 뒤집어 제자리에 놓게 한다.

④ 카드가 다 사라질 때까지 반복한다.

TIP 아이들이 설명을 못할 경우, 해당 인물에 대한 설명을 해 준다.

· 아벨은 하나님이 기뻐하시는 제사를 드렸어요.

· 아브라함은 하나님이 많은 자손을 주실 것이라고 믿었어요.

· 노아는 하나님께 순종해 방주를 만들었어요.

· 모세는 하나님의 백성을 이집트에서 데리고 나왔어요.

· 라합은 여리고성에 온 이스라엘 정탐꾼들을 숨겨 주었어요.

· 다윗은 이스라엘의 위대한 왕이었어요.

── 카드 그림 속 인물들은 구약성경에 나오는 믿음의 사람들이에요. 그들은 어떤 믿음의 모습을 보여 주었나요? 오늘 성경 이야기에서 완전한 믿음의 모습을 보여 준 인물에 관해 배울 거예요. 과연 그는 누구일까요?

먼저 찾아요 *

[준비물] 자모음 글자 카드

① A4 용지에 각 단어를 자모음 단위로 나누어 출력해 자모음 글자 카드를 만든다. 인원수의 3배 분량을 준비해 놓는다.

예) 바울, 기도, 찬양, 매일, 하루, 믿음 등.

② 인도자가 단어를 말하고 아이들에게 글자 카드를 찾아 단어를 완성하라고 한다.

③ 마지막 단어는 '믿음'으로 한 후, '믿음'이 무엇인지 설명해 준다.

── 때로 하나님을 믿는 것이 어려울 때도 있지만 성경 이야기를 들으며 믿음을 더욱 단단히 할 수 있어요. 우리는 성경에서 하나님의 놀라운 구원 계획과 그 하나님을 믿으며 순종한 사람들, 신실하게 약속을 이루신 하나님을 만나게 되지요. 어서 성경 이야기를 들어 보아요.

교사를 위한 기록장 이 과를 준비하면서 깨닫게 된 묵상을 정리해 보세요.

· 하나님이나 나에 대해 새롭게 알게 된 것은?

· 기억해야 할 하나님의 말씀은?

· 아이들에게 전하고 싶은 메시지는?

가스펠 설교

15~30분

들어가기

[준비물] 작업복, 공구 벨트, 보안경, 손전등, 숟가락, 접착테이프

작업복을 입고, 공구 벨트를 허리에 차고 들어온다. 보안경을 착용하고, 불빛이 나가는 부분에 접착테이프로 숟가락을 고정한 손전등을 들고 있다.

여러분, 안녕하세요! 다시 만나서 정말 기뻐요. 아무래도 오늘이 여러분과 만나는 마지막 시간이 될 것 같아요. 발명가 대회에 참석하기 위해 조만간 여행을 떠날 계획이거든요. 바로 이 발명품 '빛나게 홀짝'을 발표하러 말이지요! 어두운 곳에서도 국이나 시리얼을 잘 먹기 위해 이 물건을 발명했어요. 특히 캠핑할 때 유용하게 쓰이지요. 한번 사용해 볼래요? 아이들의 대답을 기다린다. 정말 기발한 아이디어지요?

우리는 지난 몇 주간 다양한 변화에 관해 이야기를 나누었어요. 오늘도 성경 이야기를 통해 하나님이 그리스도인의 삶에 어떤 변화를 일으키시는지 알아보아요.

연대표

우리는 하나님의 자녀예요

마음을 새롭게 해 변화를 받아요

성령의 열매를 맺어요

하나님의 전신 갑주를 입어요

기쁘게 주어요

믿음의 사람들

먼저 그동안 배운 성경 이야기를 복습해 볼까요? 제가 성경 이야기의 제목을 말하면 여러분은 주제를 말하는 거예요. 준비되었나요?

"우리는 하나님의 자녀예요" **하나님은 예수님을 믿는 우리를 하나님의 자녀로 삼으세요.**

"마음을 새롭게 해 변화를 받아요" **하나님은 우리가 서로 아끼고 사랑하며 교제하기를 바라세요.**

"성령의 열매를 맺어요" **성령님은 우리가 예수님을 닮아 가도록 우리의 생각과 행동을 변화시키세요.**

"하나님의 전신 갑주를 입어요" **우리는 하나님의 전신 갑주를 입고 악에 맞서 싸워요.**

"기쁘게 주어요" **하나님이 우리에게 아낌없이 주신 것처럼 우리도 아낌없이 줄 수 있어요.**

참 잘했어요! 연대표에서 오늘의 성경 이야기를 가리킨다. 오늘 성경 이야기의 제목은 "믿음의 사람들"이에요.

성경의 초점

2단원 '성경의 초점'을 함께 외워 볼까요? 아이들의 대답을 기다린다. **누가 우리를 거룩하게 변화시키시나요? 성령님이 하나님의 영광을 위해 우리가 예수님을 닮아 가도록 변화시키세요.** 대단해요! 예수님을 믿으면 믿는 즉시 일어나는 변화가 있어요. 바로 '칭의'라고 하지요. 칭의는 하나님이 의롭다고 인정하신다는 뜻이에요. 더는 죄인으로 보지 않으신다는 말이지요. 그리고 최근 몇 주간 '성화'라는 변화를 주의 깊게 다루었어요. 성화는 우리의 생각과 행동이 날마다 조금씩 예수님을 닮아 가는 것을 말해요.

성경 이야기

DVD 히브리서 11장 1절~12장 2절을 펴고, 설교 영상(지도자용 팩)을 보여 주거나 이야기 성경을 들려준다. '믿음의 사람들'(지도자용 팩)을 출력한다. 예배 시작 전에 교사들에게 출력한 인물 이미지를 나누어 주고, 그 인물을 생각하면 떠오르는 모습을 표현하게 한다. 성경 이야기에서 자신이 맡은 인물이 나올 때 그 모습을 표현하게 한다.

오늘 성경 이야기에는 여러분이 아는 믿음의 사람들이 많이 나왔을 거예요. 구약성경 곳곳에서 하나님은 하나님의 구원 계획을 위해 여러 사람을 사용하셨어요. 이 성경 이야기에 나오는 사람들은 모두 믿음으로 살았어요.

믿음으로 산다는 것은 무슨 뜻일까요? 믿음은 소망하는 일이 반드시 일어날 것이라고 확신하는 것이라고 성경은 말해요. 믿음으로 산다는 것은 어려운 상황에서도 하나님께 순종하는 거예요. 믿음으로 사는 사람은 말로만 하나님을 믿는 것이 아니라 행동으로 믿음을 나타내요! 우리는 하나님이 모든 것을 하실 수 있고 또 무슨 일이 있어도 하나님의 놀라운 계획을 이루실 것이라는 사실을 알기 때문에 믿음을 가질 수 있어요. **믿음의 사람들은 보이지 않는 하나님의 약속을 믿고 순종해요.**

노아는 하나님이 정말로 홍수를 내리실 것을 믿었어요. 그래서 방주를 지으라는 하나님의 말씀에 순종했지요. 아브라함은 하나님이 자신에게 수많은 자손을 주셔서 온 세상에 복을 주실 것을 믿었어요. 사라도 아기를 낳기에는 너무 늙었다는 것을 알았지만 하나님을 믿었어요. 라합은 하나님이 하나님의 백성에게 여리고성을 넘겨주실 것을 믿었기 때문에 여리고성에 들어온 이스라엘 정탐꾼들을 숨겨 주었어요. 그리고 하나님이 자신과 그의 가족을 살려 주실 것도 믿었지요.

믿음을 갖는 일이 늘 쉬운 것은 아니에요. 하지만 하나님이 약속을 지키시는 분임을 아는 사람에게는 가능해요. 믿음이 있는 사람은 행동으로 그 믿음을 보여요.

가스펠 링크

성경은 믿음으로 산 사람들의 본보기를 보여 주어요. 그중에 완전한 믿음의 본보기를 보여 주신 분은 예수님이에요. 예수님은 십자가를 통해 다가올 기쁨을 고대하셨어요. 성경 속 믿음의 사람들이 간절히 바라며 기다리던 일이 예수님으로 인해 완성될 거예요. 우리는 언젠가 예수님이 다시 오실 것을 믿어요. 하나님은 항상 약속을 지키시는 분이기 때문이에요.

복음 초청

성경과 21쪽 복음 초청 가이드를 이용해서 아이들에게 그리스도인이 되는 법을 설명해 준다. 따로 상담해 줄 사람을 정해 주고 궁금한 점이 있으면 물어보도록 격려한다.

이 시간 예수님을 마음에 모시고 싶은 친구는 함께 기도해요.

기도

하나님, 성경을 통해 믿음의 사람들을 만나게 해 주셔서 감사합니다. 그들의 믿음을 보며 우리의 믿음을 돌아봅니다. 언제나 하나님을 신뢰할 수 있도록 성령님 함께해 주세요. 우리의 믿음을 지키고, 하나님의 말씀대로 살아가도록 인도해 주세요. 예수님의 이름으로 기도합니다. 아멘.

적용

TIP 설교 도입이나 적용으로 활용하거나 영상을 본 뒤 소그룹으로 나누어 풍성한 대화를 이어 갈 수 있습니다.

옛날에 살았던 인물들에 관해 배우는 것을 좋아하나요? 그 이유는 무엇인가요? 이 질문을 생각하면서 오늘의 영상을 함께 보아요.

DVD 적용 예화 영상(지도자용 팩)을 보여 준 후, 다음의 질문으로 이야기를 나눈다.

1 컵케이크들은 왜 옛날 컵케이크들의 이야기 듣는 것을 좋아했나요?

2 과거의 인물을 살펴보면서 무엇을 배울 수 있나요?

과거 인물들을 살펴보면 어떻게 살아야 하는지, 어떻게 살지 말아야 하는지 배울 수 있어요. 성경은 믿음으로 산 사람들의 이야기를 들려주어요. 우리는 그들의 삶을 통해 믿음이 무엇인지 배울 수 있어요. 그들도 완벽하지는 않았어요. 하지만 힘든 상황이나 다른 사람들이 이해하지 못하는 상황에서도 언제나 하나님께 순종하기를 선택했어요. 믿음의 사람들은 하나님이 반드시 약속을 이루실 것을 믿었고, 하나님을 의지한다는 사실을 행동으로 보여 주었어요. **믿음의 사람들은 보이지 않는 하나님의 약속을 믿고 순종해요.**

가스펠 소그룹

10~20분

나침반

번호를 누르면

[준비물] 학생용 교재 66쪽, 연필이나 색연필

① 아이들에게 비밀번호 순서대로 글을 적어 보라고 한다.

② 완성한 고린도후서 5장 17절을 큰 소리로 읽으며 외우게 한다.

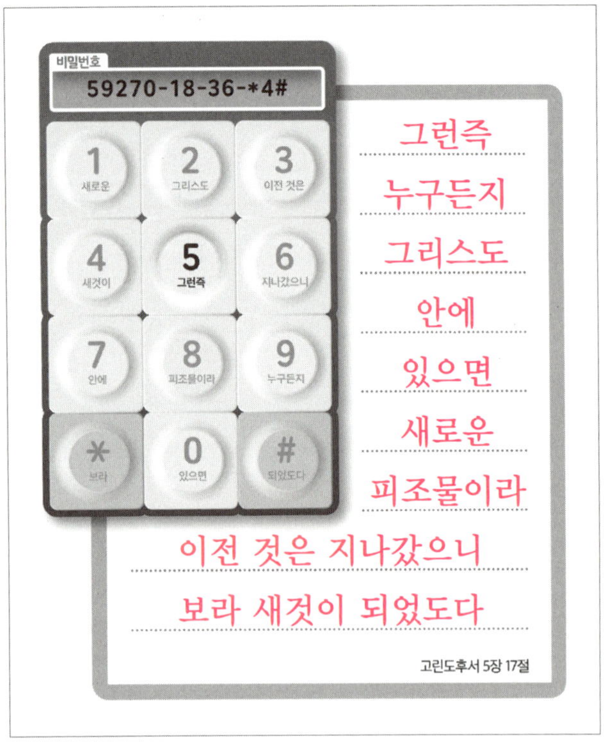

— 바울도 믿음으로 살았던 믿음의 사람이에요. 그는 예수님의 죽음과 부활을 믿었고, 성령님이 사람들의 삶에 일으키시는 놀라운 변화를 직접 경험했어요. 이 성경 구절은 우리가 예수님을 믿으면 우리의 옛사람은 죽고 새로운 믿음의 삶이 시작된다는 것을 알려 주어요!

보물 지도

참, 거짓!

[준비물] 성경

① 인도자가 문장을 읽으면, 참인지 거짓인지 말해야 한다고 일러 준다.

② 답을 아는 아이는 손을 들게 하고, 손을 든 아이 중 한 명을 지목해 답을 말하게 한다.

③ 정답을 맞히면 1점을 주고, 틀리면 다른 아이에게 답을 말할 기회를 준다.

④ 점수를 가장 많이 얻은 아이가 이긴다.

1. 믿음은 절대로 일어나지 않을 일을 바라는 것이에요. 거짓, 믿음은 바라는 일이 반드시 이루어질 것이라고 확신하는 것이다 (히 11:1)
2. 하나님은 믿음으로 사는 사람을 기뻐하세요. 참 (히 11:6)
3. 노아는 하나님을 믿었기 때문에 방주를 만들었어요. 참 (히 11:7)
4. 사라는 하나님을 믿었기 때문에 아들을 낳았어요. 참 (히 11:11)
5. 라합은 믿음이 없었지만 정탐꾼을 숨겨 주었어요. 거짓, 믿음으로 숨겨 주었다 (히 11:31)
6. 믿음을 가진 사람들은 언제나 편하게 살았어요. 거짓, 많은 사람이 믿음 때문에 고생을 겪었다 (히 11:36~37)
7. 예수님은 우리 믿음의 근원이시고, 우리 믿음은 예수님 안에서 완전해져요. 참 (히 12:2)

— **믿음의 사람들은 보이지 않는 하나님의 약속을 믿고 순종해요.** 믿음이 있다는 것은 아무 증거도 없이 무언가를 믿는다는 말이 아니에요. 믿음은 그것을 약속한 사람을 믿기 때문에 약속한 일이 반드시 이루어질 것이라고 확신하는 것을 말해요. 예수님은 언젠가 다시 오실 거예요. 예수님이 다시 오시는 날까지 그리스도인은 믿음으로 새로운 삶을 사는 거예요.

탐험하기

믿음의 사람들

[준비물] 학생용 교재 67쪽, 연필이나 색연필

① 제시된 성경 속 인물을 찾아 같은 사람끼리 한 선으로 연결해 보라고 한다.

② 나타난 단어를 빈칸에 넣어 문장 완성하게 한다.

— 성경은 믿음으로 산 사람들의 본보기를 보여 주어요. 그중에 완전한 믿음의 본보기를 보여 주신 분은 예수님이에요. 예수님은 십자가를 통해 다가올 기쁨을 고대하셨어요. 성경 속 믿음의 사람들이 간절히 바라며 기다리던 일이 예수님으로 인해 완성될 거예요. 우리는 언젠가 예수님이 다시 오실 것을 믿어요. 하나님은 항상 약속을 지키시는 분이기 때문이에요.

믿음의 사람들은
보이지 않는 하나님의 약속을 믿고 순종해요.

믿음의 사람들을 찾아라! *

[준비물] 종이, 사인펜, 빨대, 종이컵 4개, 책상

① 종이를 손바닥만 하게 자른 후, 각 종이에 다양한 성경 인물의 이름을 적어 놓는다. (아간, 아합, 이세벨, 가룟 유다, 골리앗, 아벨, 노아, 아브라함, 모세, 라합, 다윗, 예수님 등)

② 아이들을 2팀으로 나눈다. 각 팀에 책상과 종이컵 2개, 빨대 한 개를 나누어 준다.

③ 아이들에게 종이컵 하나는 믿음의 인물들(아벨, 노아, 아브라함, 모세, 라합, 다윗, 예수님)을 담는 컵이고, 다른 하나는 나머지 인물들을 담는 컵이라고 설명해 준다.

④ 인도자가 "시작!"이라고 외치면 빨대로 종이를 빨아들여서 알맞은 종이컵 안에 담게 한다. 인도자가 "끝!"을 외칠 때까지 놀이를 계속한다.

⑤ 인도자는 각 종이컵을 확인하고, 종이를 알맞게 넣었으면 "승리했다"고 말해 주고, 틀렸을 경우 몇 명의 인물이 틀렸는지 말해 준다.

— 믿음은 단순히 무엇을 믿는다고 말하는 것이 아니에요. 믿음은 믿는 것을 행동으로 보여 주며 사는 것이에요. 예수님은 우리에게 믿음을 주시고, 성령님의 능력으로 날마다 믿음이 더 강해지게 도와주세요.

믿음으로! *

[준비물] 플라스틱 물병 10개, 공, 라벨지, 사인펜, 마스킹 테이프

① 아이들에게 믿음을 지키기 어렵게 만드는 것들을 라벨지에 적어 보라고 한다.

② 물병에 물을 4분의 1 정도 각각 담고, 아이들이 쓴 라벨지를 붙인다.

③ 마스킹 테이프로 예배실 바닥에 기준선을 표시하고, 2m 정도 떨어진 곳에 물병을 나란히 세운다.

④ 아이들에게 공을 나누어 주고, 공을 던져 물병을 쓰러뜨리라고 한다. 물병이 모두 쓰러질 때까지 놀이를 계속한다.

— 오늘 성경 이야기에 나오는 믿음의 사람들이 하나님을 믿고 의지하기를 선택한 것처럼 우리도 하나님을 믿고 의지하기를 선택할 수 있어요. **믿음의 사람들은 보이지 않는 하나님의 약속을 믿고 순종해요.** 예수님은 우리에게 믿음을 주시고, 성령님을 통해 그 믿음이 자라게 하세요.

보물 상자

나만의 기록장

[준비물] 학생용 교재 68쪽, 연필이나 색연필

성경 이야기를 통해 알게 된 것을 글이나 그림으로 표현해 보라고 한다.

- 이 성경 이야기는 하나님이나 복음에 대해 무엇을 말하고 있나요?
- 이 성경 이야기를 통해 나에 대해 알게 된 사실은 무엇인가요?
- 나는 누구에게 이 성경 이야기를 들려줄 수 있을까요?

메시지 카드

이번 주 메시지 카드로 부모님과 함께 오늘 배운 성경 이야기를 나누어 보라고 한다.

기도

하나님, 성경 이야기를 통해 만난 믿음의 사람들처럼 우리에게도 흔들리지 않는 믿음을 주세요. 예수님의 십자가 죽음과 부활을 믿으며 예수님이 다시 오시는 그날까지 믿음으로 살아가도록 성령님 함께해 주세요. 예수님의 이름으로 기도합니다. 아멘.

칼럼

아이들에게 삼위일체를 어떻게 설명할 것인가?

얼마 전 기자인 친구가 저에게 이메일을 보내 많은 그리스도인 부모가 던질 법한 질문을 했습니다. 바로 '삼위일체'라는 개념을 아이들에게 어떻게 설명할 것인가 하는 질문이었습니다. 많은 부모와 사역자가 이 질문에 공감하는 이유는 성인인 우리 자신도 그 교리를 정확하게 설명하지 못하기 때문이라고 생각합니다. 우리는 그저 "성경은 옳아"라고 말하면서 성경의 무오성을 가르칠 수 있습니다. 구속에 관해서도 "예수님이 우리 죗값을 치르셨고 영원히 살아계셔"라고 말하면서 어느 정도 설명할 수 있겠지요. 하지만 삼위일체는 전혀 다른 문제입니다.

우리가 삼위일체에 대한 설명을 두려워하고 망설이는 이유는 기독교 복음에 대한 잘못된 이해와 상당한 연관이 있는 것 같습니다. 신학자 칼 헨리의 말처럼 기독교는 이성적이고 지적입니다. 그러나 기독교는 이성과 지성이 전부가 아닙니다. 복음은 다른 유의 지혜를 가리킵니다. 인간의 입을 닫게 만드는 그런 지혜 말입니다(사 55:8; 렘 8:9; 고전 1:19~20 참조).

하나님은 한 분이십니다. 그러면서 서로 영원한 관계로 맺어진 세 위격이십니다. 그리고 우리는 그 관계 안으로 초대받았습니다. 이것은 모순되지 않습니다. 하나님이 한 분으로 존재하는 방식은 세 분으로 존재하는 방식과 다릅니다. 그 반대의 경우도 마찬가지입니다. 어느 누가 이런 지혜를 특정한 공식이나 비유로 압축할 수 있겠습니까?

우리는 간혹 아이들의 궁금증을 해소해 주고 싶은 마음에 아이들을 위한 간단하고 쉬운 비유를 찾습니다. 삼위일체가 세 잎 클로버와 같다거나, 물·얼음·증기와 같다거나 하는 방식으로 쉽게 설명된다면 우리는 그 문제를 '넘어갈 수' 있을 테니까요. 우리는 삼위일체에는 이해하기 힘든 점이 있다고 말하면 아이들이 우리가 복음의 진리를 말할 때도 확신이 없다고 생각할까 봐 두려워합니다.

그러나 예수님은 아이들이 믿는 방식 중에 우리 모두에게 적용할 수 있는 것이 있다고 말씀하십니다. 예수님은 하나님의 나라에 들어가려면 아이들과 같이 되어야 한다고 하십니다. 어떤 면에서 이것은 맞는 말씀입니다. 아이들은 지극히 문자 그대로 받아들입니다. 저도 어릴 때 왜 그런지 모르겠지만 작은 형태의 내가 군복을 입고 마음속의 한 공간에 있는 것이 '영혼'이라고 생각했던 기억이 납니다.

그러나 더 중요한 것은, 아이들은 종종 어른들과는 다른 방식으로 신비와 역설을 잘 받아들인다는 것입니다. 아이들은 눈을 동그랗게 뜨고 경이로운 눈으로 세상을 탐험합니다. 모든 것을 다 이해하지 못하지만, 자신이 다 이해하지 못한다는 사실을 알고 있습니다. 바로 그것이 예수님이 칭찬하신 복된 무지(blessed ignorance)라고 저는 믿습니다. 믿기 위해서는 하나님이 하신 모든 말씀을 신뢰해야 합니다. 나아가 하나님에 대한 우리 자신의 이해에서 벗어나 있는 그대로의 하나님을 주님으로 보아야 합니다. 그나마 조금이라도 보려면 우리가 보는 것이 "거울로 보는 것 같이 희미"하다는 것을 반드시 기억해야 합니다(고전 13:12 참조).

그렇다면 우리는 아이들에게 용감하게 말해야 합니다. "하나님은 한 분이시면서 세 위격이시란다. 하나님과 하나님의 방법은 워낙 크고 신비로워서 내가 다 설명할 수 없단다. 놀랍지 않니?"라고 말입니다. 아이들이 "도대체 무슨 말인지 하나도 모르겠어요"라고 말해도 걱정하지 마십시오. 당황하지 말고 눈을 반짝이며 이렇게 말씀하십시오. "알아! 나도 그래! 하지만 정말 신비하고 멋지지 않니?"

물론 그런다고 대화가 끝나지는 않을 것입니다. 오히려 대화가 시작되지요. 하지만 우리에게는 삼위일체의 실체를 탐구할 무수한 시간이 있습니다. 오직 시작하는 것이 필요할 뿐이지요.

그리고 경이로움과 경외심을 가지고 하나님이 한 분이신 동시에 세 위격이시라는 사실을 배우는 것은, 그리스도인과 무신론주의자들 사이에 팽배한 메마른 합리주의에 대비해 예방 접종을 하는 것과 같습니다. 그러한 합리주의는 자칫하면 건조하고 절망적이고 비극적일만큼 평범한 삶을 초래합니다.

러셀 무어(Russell Moore) 박사는 남침례회 윤리 및
종교 자유위원회(ERLC) 위원장입니다.
무어 박사는 "입양의 마음" 외에 다수의 저서를 냈습니다.

내가 그리스도와 함께 십자가에 못 박혔나니
그런즉 이제는 내가 사는 것이 아니요
오직 내 안에 그리스도께서 사시는 것이라
이제 내가 육체 가운데 사는 것은 나를 사랑하사
나를 위하여 자기 자신을 버리신
하나님의 아들을 믿는 믿음 안에서 사는 것이라

갈라디아서 2장 20절

그런즉 누구든지

그리스도 안에 있으면 새로운 피조물이라

이전 것은 지나갔으니

보라 새것이 되었도다

고린도후서 5장 17절

가스펠 프로젝트 신약 커리큘럼

1권	2권	3권	4권	5권	6권
위대한 복음 복음서	**비유와 기적** 복음서	**십자가와 부활** 복음서, 행, 사	**복음으로 세워진 교회** 행	**하나님의 편지** 서신서	**다시 오실 그리스도** 행, 서신서, 계
1단원 **성자 하나님**	1단원 **비유로 말씀하신 예수님**	1단원 **순종하신 예수님**	1단원 **능력을 주시는 성령님**	1단원 **인도하시는 하나님**	1단원 **하나님의 계획**
1. 아브라함부터 예수님까지 2. 마리아가 하나님을 찬양했어요 3. 예수님이 태어나셨어요 4. 예수님이 성전에 계셨어요 5. 예수님이 세례를 받으셨어요 6. 예수님이 시험을 이기셨어요	1. 씨 뿌리는 농부 비유 2. 용서할 줄 모르는 종 비유 3. 선한 사마리아인 비유 4. 3가지 비유 5. 바리새인과 세리 비유 6. 악한 농부 비유	1. 마리아가 예수님께 향유를 부었어요 2. 예수님이 성전을 깨끗하게 하셨어요 3. 예수님이 제자들과 마지막 만찬을 하셨어요 4. 예수님이 잡혀가셨어요	1. 약속하신 성령님이 오셨어요 2. 걷지 못하는 사람이 걷게 되었어요 3. 스데반이 예수님을 전했어요 4. 에티오피아 관리가 예수님을 믿었어요 5. 베드로와 고넬료가 만났어요	1. 바울이 베드로의 행동을 나무랐어요 2. 교회가 나뉘었어요 3. 교회 안에 차별이 생겼어요 4. 서로 사랑하라 5. 교회 지도자들에게 권면했어요	1. 복음을 막을 수 없어요 2. 바울이 총독 앞에 섰어요 3. 바울이 로마로 가게 되었어요 4. 감옥에서도 하나님을 찬양했어요 5. 예수님은 위대하세요
2단원 **우리와 함께 계시는 하나님**	2단원 **기적을 행하신 예수님**	2단원 **구원자 예수님**	2단원 **보내시는 하나님**	2단원 **변화시키시는 하나님**	2단원 **소망을 주시는 하나님**
7. 니고데모가 예수님을 찾아왔어요 8. 세례 요한이 예수님에 관해 말했어요 9. 예수님이 사마리아 여인을 만나셨어요 10. 예수님이 고향에서 거절당하셨어요 11. 예수님이 삭개오를 만나셨어요	7. 예수님이 물로 포도주를 만드셨어요 8. 예수님이 하늘의 떡을 주셨어요 9. 예수님이 물 위를 걸으셨어요	5. 예수님이 십자가에서 죽으셨어요 6. 예수님이 부활하셨어요 7. 예수님이 엠마오로 가는 제자들을 만나셨어요	6. 바울이 회개하고 세례를 받았어요 7. 바울의 첫 번째 전도 여행 8. 오직 그리스도 9. 바울의 두 번째 전도 여행 10. 바울이 아테네에서 복음을 전했어요 11. 바울의 세 번째 전도 여행	6. 우리는 하나님의 자녀예요 7. 마음을 새롭게 해 변화를 받아요 8. 성령의 열매를 맺어요 9. 하나님의 전신 갑주를 입어요 10. 기쁘게 주어요 11. 믿음의 사람들	6. 바울이 빌레몬에게 편지를 보냈어요 7. 바울이 소망을 전했어요 8. 믿음을 지키라고 말했어요 9. 다시 오실 예수님을 기다려요
	3단원 **고치시는 예수님**	3단원 **부활하신 왕, 예수님**			3단원 **만물을 새롭게 하시는 하나님**
	10. 예수님이 중풍 병자를 고치셨어요 11. 예수님이 귀신 들린 사람을 고치셨어요 12. 예수님이 여인을 고치시고 소녀를 살리셨어요 13. 예수님이 나사로를 살리셨어요	8. 예수님이 제자들에게 나타나셨어요 9. 예수님이 도마에게 나타나셨어요 10. 예수님이 베드로에게 나타나셨어요 11. 예수님이 지상 명령을 주셨어요 12. 예수님이 승천하셨어요 13. 예수님을 보내신 하나님을 찬양해요			10. 요한이 본 환상 11. 일곱 교회를 향한 하나님의 경고 12. 보좌에 앉으신 예수님 13. 마라나타! 예수님, 어서 오세요!

※세부 내용은 사정에 따라 변경될 수 있습니다.

신약5 성경의 초점과 주제

1단원 인도하시는 하나님

Q 하나님은 왜 우리가 순종하기를 바라시나요?

A 하나님의 사랑에 대한 우리의 응답이 순종이기 때문이에요.

1. 바울은 오직 예수님을 믿는 믿음으로 구원받는다고 말했어요.
2. 바울은 그리스도인은 예수님을 믿는 믿음으로 하나가 되어야 한다고 말했어요.
3. 야고보는 예수님이 우리를 긍휼히 여기셨듯이 우리도 다른 사람을 긍휼히 여겨야 한다고 말했어요.
4. 요한은 그리스도인이 서로 사랑하는 모습을 통해 사람들에게 하나님의 사랑을 보여 줄 수 있다고 말했어요.
5. 바울은 교회 지도자들에게 하나님의 말씀을 가르치라고 권면했어요.

2단원 변화시키시는 하나님

Q 누가 우리를 거룩하게 변화시키시나요?

A 성령님이 하나님의 영광을 위해 우리가 예수님을 닮아 가도록 변화시키세요.

6. 하나님은 예수님을 믿는 우리를 하나님의 자녀로 삼으세요.
7. 하나님은 우리가 서로 아끼고 사랑하며 교제하기를 바라세요.
8. 성령님은 우리가 예수님을 닮아 가도록 우리의 생각과 행동을 변화시키세요.
9. 우리는 하나님의 전신 갑주를 입고 악에 맞서 싸워요.
10. 하나님이 우리에게 아낌없이 주신 것처럼 우리도 아낌없이 줄 수 있어요.
11. 믿음의 사람들은 보이지 않는 하나님의 약속을 믿고 순종해요.